漂流 日本左翼史

理想なき左派の混迷 1972-2022

池上 彰　佐藤 優

講談社現代新書

2667

漂流 日本左翼史

理想なき左派の混迷 1972-2022

池上 彰　佐藤 優

講談社現代新書

2667

はじめに

本書は『日本左翼史』シリーズの三巻目です。過去の二冊は一九六〇年代から七〇年代、八〇年代に青春時代を過ごした人たちの心に刺さったようです。あちこちで「読みました。次が待ち遠しいです」という声をいただきました。

現代の若者たちには、もはや歴史の話でしかないかもしれませんが、二〇二二年五月、元日本赤軍最高幹部の重信房子《しげのぶふさこ》が懲役二〇年の刑期を終えて出所し、ニュースになりました。

その直後、中東レバノンのベイルートでは元日本赤軍の岡本公三《おかもとこうぞう》容疑者も人々の前に現れました。テルアビブ空港での銃乱射事件から五〇年の式典に参加したのです。重信房子は七六歳、岡本公三は七四歳。どちらも、かつては「革命戦士」を自称していたのでしょうが、歳をとりました。

日本赤軍のルーツは、一九六九年に結成された「共産主義者同盟赤軍派」です。前著で取り上げたように、当時の日本は、東京大学や日本大学など全国各地で学園闘争が燃え上がっていました。

学生たちの政治集会には、数万人もの参加者があり、学生たちがデモ行進に移ると、沿道の市民から「頑張れよ」の声がかかります。

学生たちと機動隊が衝突を繰り返したお茶の水・神田周辺では、機動隊に追われた学生を匿《かくま》ってくれる商店や喫茶店がありました。学生たちは、「自分たちの戦いは、多くの人民の支持を得ている」と思い込んだのかもしれません。

一方、世界に目を転じると、アメリカはベトナム戦争で苦戦し、世界各地でベトナム戦争反対の運動が燃え盛っていました。人によっては「革命の日」近しと思えたのでしょう。

こうして「直ちに武装蜂起すべきだ」という過激な主張をする集団が生まれます。それが共産主義者同盟から飛び出した「赤軍派」でした。

赤軍とは、ロシア革命を成功させたレーニン率いるボリシェビキの武装組織の名前。日本でも武力革命を実現すべきだという主張を体現したグループの組織名だったのです。

彼らは、武器を持って立ち上がれば、政府は機動隊では手に負えなくなり、自衛隊を出動させるだろう。自衛隊員たちは労働者・農民の家庭の出身者だ。ロシア革命のときに兵士が帝政ロシアに反旗を翻して決起したように、自衛隊員たちも革命に立ち上がるだろうと夢想したのです。当時の赤軍派のビラを見たことがあります。「戦車の上に赤旗を!」がスローガンでした。荒唐無稽です。

さらに世界同時革命を夢想する集団は、パレスチナの過激派と連絡を取り、中東に活動の場を移します。それが「日本赤軍」でした。岡本公三は、イスラエルの空港で仲間二人と無差別に銃を乱射して多くのイスラエル国民を殺害し、逮捕されましたが、パレスチナに捕まっていたイスラエル軍兵士との交換で釈放され、レバノンに亡命していました。あれから五〇年が経ったのです。

いまになって冷静に考えれば、日本国内でいかに学生たちが機動隊と衝突したところで、選挙になれば自民党が圧勝していました。「革命の条件」など存在しなかったのです。まして「世界革命」など、誰がどこで何をするのか。綿密な計画などない刹那的なものでした。こうして「新左翼」は消滅します。

では、既成の左翼はどうなったのか。それを論じたのが本書です。

私より一〇歳下の佐藤優氏は、私が社会に出た後の学生運動を体験しています。当時何が起き、どうして左翼運動が衰退していったかを、極めて冷静に観察していました。佐藤氏と対談しながら、「ああ、そうそう、そういうことがあった」と思うこともあれば、「そんなことがあったんだ」と再発見することもありました。読者の皆さんには、さらに大きな驚きと発見がありますように。

本書の完成にあたっては、講談社現代新書の青木肇編集長、編集部の小林雅宏氏、ライターの古川琢也氏に大変お世話になりました。感謝しています。

二〇二二年六月

池上　彰

目次

第二章　「労働運動」の時代（一九七〇年代①）

第三章　労働運動の退潮と社会党の凋落（一九七〇年代②）

天王山となった「スト権スト」
労組側敗北に終わったスト権スト
七〇年代「社会党・共産党」のねじれ
「楽しい」組合活動
革新自治体、革新首長の誕生
宮本路線を放棄した共産党「日本経済への提言」
「創共協定」の衝撃
上尾事件と首都圏国電暴動
反合理化闘争の裏側
同盟の誕生
アジェンデ政権の崩壊
スト権ストの副産物

序章
左翼「漂流」のはじまり

イデオロギーの時代が再来している。
いまこそ「思想の免疫」を身につけなければならない。

「左翼史」を語る重要性がますます高まった

池上　日本の戦後史を今まで語られてこなかった左翼の視点から捉え、忘れられた歴史を浮き彫りにする「左翼史」対談は、この本でいよいよ三巻目です。

佐藤　二〇二〇年から続くコロナ禍により格差や貧困が世界中で深刻化し、社会の分断に拍車をかけています。さらに、二〇二二年二月に起きたロシアによるウクライナ侵攻で、われわれは第三次世界大戦の危機に直面しています。世界はいま転換点に立っているのです。

格差や貧困、戦争の危機。私たちが直面しているこれらの問題は、まさに左翼が掲げてきた論点そのものです。激動の時代を生き抜くためには、左翼の功罪を歴史的に検証して、危機を乗り越えるための「左翼の思考」から学ばなければならない——。それが、「左翼史」シリーズで一貫して掲げている問題意識でした。

池上　「左翼史」対談を始めたのは二〇二〇年の後半でしたが、それからわずか二年のうちに、刻一刻と世界が激動の渦に巻き込まれていくのを肌で感じます。

ウクライナ侵攻のように極めて二〇世紀的な侵略戦争がこの時代に起きたことに驚いた人も多かったでしょう。アメリカの作家マーク・トウェインの言葉として知られる「歴史は繰り返さないが韻を踏む」という言葉を思い出します。**「左翼の思考」を検証するとい**

うのは、激動の時代をいかに乗り越えればよいかの知恵を歴史から謙虚に学ぶということなのです。

佐藤　社会の矛盾が積もり重なると、人々の不満が噴出する。それらの不満がイデオロギーに搦《から》め捕《と》られ、暴力的に発露してしまうと大変危険です。いまは世界中で、排外主義的なナショナリズムやテロリズムに対する警戒が必要です。

戦後の日本では、マルクス主義が人々の不満を吸収して社会変革を夢見るイデオロギーとして、広汎な支持を集めました。

池上　第一巻『真説　日本左翼史』（以下、『真説』）では、戦後から一九六〇年の安保闘争の頃に照準を合わせて、日本共産党と社会党という二大左派政党の盛衰を概観しましたね。当時は、いまの若者たちには想像もできないほど左派の思想と運動が勢いを持っていた時代でした。

佐藤　一方で、第二巻『激動　日本左翼史』（以下、『激動』）で強調したように、既存左翼政党への不満から生まれた新左翼が、六〇年代末に内ゲバ（セクト間の闘争）を繰り返して人殺しを正当化するという残忍な事態に陥りました。高らかな理想から殺人へと転倒してしまう思想の恐ろしさを知って欲しいというのも、「左翼史」対談で伝えたい重要なメッセージです。

ウクライナ戦争を米欧や日本は民主主義対権威主義の戦いと位置づけています。ロシアはウクライナのナチス主義と戦っていると主張しています。これはイデオロギーの時代が再び到来していることを示しています。その際、**左翼の功罪を学んでおくことで思想の免疫が身につく。危機の時代に思想に踊らされない真の教養**を、皆さんには身につけて欲しいと思います。

新左翼の台頭から「あさま山荘事件」まで

池上　さて、前巻『激動』では、ある意味では新左翼が主役でした。ここで新左翼の盛り上がりと衰退の顚末を簡単に振り返っておきましょう。

一九五五年の日本共産党第六回全国協議会（六全協）での根本的な路線転換により暴力革命をひとまず断念した共産党内部にあって、学生党員の中には、党中央が決めた方針に不満を募らせ、共産党に代わる新たな革命勢力が必要であると考えて離党した若者たちが少なからずいました。

彼らは新しい党派「共産主義者同盟」（ブント）を結成し、六〇年安保闘争では闘争の中心となるものの、日米安全保障条約を破棄させるという闘争の目的は叶わず多くが挫折感を味わい、学生運動は一時的に停滞しました。

一方でブントが誕生したのとほぼ同時期、スターリンに率いられたソ連の体制に反発し、「反スターリニズム」を標榜する若い共産主義者たちは、「革命的共産主義者同盟」（革共同）という別の党派を結成します。ここから枝分かれした党派のうち「日本革命的共産主義者同盟」（別名・第四インターナショナル日本支部）は、安保闘争や同時期に闘われた三池炭鉱での労働争議などを通じて社会党への「加入戦術」を実践し組織拡張を狙いました。

そして第四インターと袂を分かった別の党派もまた、「革命的共産主義者同盟全国委員会」（中核派）、「日本革命的共産主義者同盟革命的マルクス主義派」（革マル派）などへさらに枝分かれしていきました。

佐藤　六〇年代半ばには、大学当局による授業料値上げや裏金スキャンダルへの抗議をきっかけに各地で学園闘争が繰り広げられるようになり、なかでも一九六八～六九年に東大と日大で起きた闘争がもっとも激しく、規模も大きくなりました。それらの運動を通じて、革命意識の強い学生たちが全学共闘会議（全共闘）を組織してバリケード・ストライキなど先鋭的な闘争を行い、そこに革マル派や中核派などのセクトも関わっていました。一方で民青（民主青年同盟。日本共産党の青年組織）は全共闘や新左翼が主導する先鋭的な革命手法を批判してニセ「左翼」暴力集団というレッテルを貼り、東大闘争ではむしろ大学当局と連携して闘争を鎮圧する側に回りました。

池上　そうですね。新左翼運動や学園闘争は、ベトナム戦争が泥沼化の一途を辿るなか盛り上がった反戦の空気を追い風として、ある時期までは一般世論からも一定の共感を得ていました。しかし新左翼の各党派、特に革マル派と中核派は革命の方法論の違いなどから内ゲバに明け暮れるようになり、ついにはリンチによる殺人にまで発展し、何十人もの若者が死亡することになります。

やがて新左翼に対峙する権力側も取り締まりを強化したことで新左翼党派はどこも組織弱体化を余儀なくされ、運動の展望を失い追い詰められた一部は「赤軍派」を結成し、世界初のハイジャック事件「よど号事件」を起こし、革命の拠点を作ろうと夢想して北朝鮮に渡ります。一方で赤軍派の残党と別のセクトが結びついて結成された「連合赤軍」は武装テロを計画しますが、訓練のために集まった山中でのアジトで仲間同士がリンチで殺し合う「山岳ベース事件」を引き起こし、さらに警察から逃れようとして「あさま山荘事件」を起こして世間に衝撃を与えます。一九七二年の出来事です。

そしてやはり赤軍派の流れを汲むメンバーたちは「日本赤軍」を結成してパレスチナ解放機構（PLO）の中の過激組織と合流し、イスラエルのテルアビブ空港で無差別銃乱射事件を起こしました。この元日本赤軍の最高幹部が、二〇二二年五月に二〇年の懲役を終えて出所した重信房子です。一連の暴発的なテロ事件は、新左翼が袋小路に入ったことを世間に印象づけ、ここに至って新左翼が社会から受け入れられる余地は完全になくなった──。『激動』ではそうした一連の過程を見てきました。

左翼は漂流を始める……

池上　第三巻となる本書『漂流　日本左翼史』では、一九七二年のあさま山荘事件を契機に新左翼が失墜した後、現代に至るまでの左派の流れを見ていきます。一言で言えば、**左派が弱体化し漂流する歴史です。なぜ左派はこれほどまでに存在感を失ってしまったのか。**それを歴史的に追うことで、現代政治の閉塞感の遠因や、野党の支持が伸び悩む問題にもつなげていきます。

その際、一九九一年のソ連崩壊が重要なのはもちろんですが、一九七〇〜九〇年代の国際情勢を理解することが大切です。

佐藤　共産党は今に至るまで一定の議席を保持していますが、社会党は消滅し、その後継政党である社会民主党も議席数は風前の灯です。**二大左翼政党の命運を分けたものは何だったのか？**　このあたりも本書のポイントになるでしょう。

池上　まずは、学生運動を中心に存在感を見せた新左翼が凋落の一途を辿るところから話を始めていきます。一九七二年の「あさま山荘事件」以後、過激化した新左翼による内ゲバやテロ事件が多発します。第一章では、早稲田大学で起きた「川口大三郎《かわぐちだいざぶろう》事件」や三菱重工爆破事件などを取り上げながら、新左翼が自滅する過程を辿ります。

佐藤　第二章では、七〇年代の左翼史を語るのに欠かせない労働運動の高まりについて考えます。高度経済成長を遂げた日本ですが、七〇年代はまだ社会制度が未発達でたくさんの矛盾がそのままにされていました。社会を成熟させるのに大きく貢献した左派の運動を振り返り、組合活動の成果や社会党の存在感を論じられたらと思います。

池上　一度は労働運動を通じて存在感を発揮した左派も、七〇～八〇年代の大量消費時代の到来による社会の変化に伴い影響力を失っていきます。第三章では、社会党の分裂・凋落について丁寧に見ていきましょう。

佐藤　そして第四章では、ソ連が影響力を失い崩壊へと向かう国際情勢の大転換と、「国鉄解体」という国内の大改革が起きた八〇年代～九〇年代前半を中心に語ることになります。中曾根康弘《なかそねやすひろ》が主導した民営化の動きは、現在の新自由主義が席巻する社会の始まりと見ることができます。それに合わせ、左翼の存在感がますます失われ、ソ連崩壊によってとどめを刺される。その過程を話していきましょう。

池上　九〇年代から今に至るまで、左派は存在感を発揮できず、揶揄《やゆ》の対象にすらなっています。環境問題やアニマルライツの問題など、左派の側から新たな論点が提起されているものの、ロシアのウクライナ侵攻でそうした左派の動きは退潮する可能性が高いでしょう。

　左派はこのまま存在感を失ってしまうのでしょうか。それとも、反復する歴史が左派に新たな時代の役割を求めるのでしょうか――。終章では、現代に求められる左派の役割を佐藤さんと模索しながら、戦後の「日本左翼史」を総括していけたらと思います。

第一章

「あさま山荘」以後
（一九七二年～）

ますます過激化する新左翼はテロ行為を繰り返し、自滅の道を辿る。支持を失った勢力の漂流が始まる――。

《第一章に関する年表》

一九七二年	二月一六日	群馬県妙義山中で連合赤軍二人逮捕、一七日同所で幹部の永田《ながた》洋子《ひろこ》・森恒夫《もりつねお》逮捕、一九日長野県軽井沢で四人逮捕、五人が警官隊と銃撃戦の末、管理人の妻を人質に浅間山荘に籠城。二八日警官隊が強行救出作戦によって人質救出、五人全員逮捕（**あさま山荘事件**）。
	五月（〜九月）	日本共産党中央委員の広谷俊二《ひろやしゅんじ》や民主青年同盟中央常任委員の川上徹らが中心となり、党の公式路線に反対するための分派を組織、分派活動に関わったとされる党員約一〇〇名が処分される（**新日和見主義事件**）。
	五月三〇日	イスラエルのテルアビブ空港で日本人ゲリラ三人の乱射事件。死者二六人、重軽傷者七三人、ゲリラ二人は射殺、一人逮捕。
	一一月八日	早稲田大学構内で革マル派による男子学生へのリンチ殺人、死体遺棄事件が発生（**川口大三郎事件**）。

一九七四年	八月三〇日	東京・丸の内の三菱重工本社爆破事件。死者八人、重軽傷者三八〇人余。
一九七五年	八月四日	日本赤軍、クアラルンプールの米・スウェーデン両大使館を占拠。人質と引き換えに赤軍派活動家など七人の釈放を要求。五日、政府が超法規的措置で釈放決定。うち五人出国。八日、リビアのトリポリ空港着、人質を解放し、ゲリラはリビア政府に投降。
一九七七年	九月二八日	日本赤軍、パリ発東京行き日航機を乗っ取り、ダッカに強行着陸。勾留中の赤軍派など九人の釈放と身代金六〇〇万ドルを要求。二九日政府、要求受け入れを決定。一〇月一日、超法規的措置で六人が出国（**ダッカ事件**）。
一九七八年	三月二六日	三里塚芝山連合空港反対同盟を支援する新左翼党派が実力闘争を行い、新東京国際空港に乱入、管制塔を占拠し、機器の破壊を行う（**成田空港管制塔占拠事件**）。

謎に包まれた「新日和見主義事件」

佐藤　序章で触れた「あさま山荘事件」と「テルアビブ空港乱射事件」はどちらも一九七二年の事件ですが、七二年というのは戦後日本左翼にとって重要な事件が他にも多数起きた年です。たとえば、日本共産党ではこの年の五月から九月にかけて「新日和見主義事件」が起きています。

池上　共産党史上最多の処分者が出たと言われる事件ですね。

佐藤　ええ。そして共産党の歴史でも特に謎に包まれた事件でもあります。

共産党は六全協以降、青年党員には「歌ってマルクス、踊ってレーニン」という言葉に象徴されるソフト路線の大衆運動に力を入れてきましたが、六〇年代に新左翼運動が激化するとそれに感化され「やはりある程度の武力闘争は必要だ」と考える者、あるいは戦後の日本が米国の属国であるという共産党の中央の公式見解に疑問を持つ者も出てきました。

池上　前巻『激動』でも触れたように、日本共産党は戦後の日本が米国の属国であり、現在の日本政府も米国の傀儡《かいらい》政権である、従って日本の革命勢力は社会主義革命を起こすより先に、まずはブルジョア革命を実現し真の独立を勝ち取る必要があると主張していました。

それに対して社会党や新左翼の各党派は、戦前にアジアを侵略した日本の帝国主義はすでに復活しており、今や主体的にアジア諸国の搾取を再開しつつあるという現状認識を持っていました。それと同じことを考える党員が、新左翼の影響で共産党の内部にも生まれ始めていたということでしょうか？

佐藤　そうです。その筆頭格が、六四年から六六年まで民青系全学連の委員長、その後は七二年まで民青の中央常任委員として、共産党内の青年対策を担っていた川上徹《かわかみとおる》という人物です。この時期の民青には、東大だけで一〇〇〇人近くのメンバーがいたと言われますが、川上はそれらを共産党の東大細胞としてまとめ上げようとしました。

ただ川上のその動きはやがて宮本顕治《みやもとけんじ》以下の共産党最高幹部たちの知るところとなり、川上らは「公安警察のスパイ」「組織破壊者」という嫌疑を受け、一九七二年五月に拘束状態に置かれながら査問と称する取り調べを受けることになりました。さらに民青の中央幹部や都道府県幹部を中心として、六〇〇〜一〇〇〇人が査問にかけられ、一〇〇人が処分されたと言われています。川上自身も党員資格を一年間停止される処分を受け、民青の中央常任委員から罷免されました。

七三年に共産党中央委員会出版局から出た『新日和見主義批判』という本は、この事件について共産党側の見解が読める現状唯一の文献なのですが、そこには次のように総括されています。

〈一九七〇年代にはいって、内外情勢のきわめてはげしい変動と諸闘争の急激な進展にともなう小ブルジョア的動揺や混迷の影響のもとで、アメリカ帝国主義の侵略性の軽視、「日本軍国主義主敵論」、「大衆闘争唯一論」などを内容とするあたらしい型の日和見主義の潮流が発生しました。

これとむすびついて若干の大衆団体のグループなどに分派主義的、非組織的活動があらわれましたが、党はこうした策動にたいして断固としてまた機敏に思想的、組織的闘争をおこない、これを粉砕しました。〉（はしがき）

池上　普通、日和見主義というと、「安全な場所から様子をうかがうだけで自分では何も行動を起こさない」、あるいはより左翼的な用法だと「体制に迎合的な態度をとって革命に参加しない」という意味の、どちらかといえば右派批判の文脈で使われる言葉ですが、ここでは共産党はかなり違う意味で使っていますね。

佐藤　共産党の「民主集中制」のもと、党中央が定めた方針には絶対服従すべきところ、これに従わず全共闘運動など大衆運動に迎合してしまったことを「日和見」と言っているわけですね。右派ではなく左翼、それも同じ党内の身内に対して、あくまで共産党から見た「首尾一貫性の欠如」を理由に攻撃対象にした。

池上　要するに自分の思想の軸を失って、新左翼的な振る舞いにふらふらと惹きつけられてしまったのがけしからんということで、共産党内部の新左翼の影響を受けた学生活動家を徹底的に弾圧したということですね。

佐藤　そうです。ただこの時に査問を受け、降格などの処分を受けた党員たちの多くは「自分たちは分派活動などしていない」と主張したうえであくまで共産党を拠点とした革命にこだわって党から離れようとせず、現場の一党員としてその後も長く活動を続けました。川上自身が離党したのも一九九〇年とかなり後になってからのことで、離党後の九七年一二月に『査問』（筑摩書房）という本を出し、そこで初めて自分が受けた査問の実態について当事者として証言しました。

ここで川上は、自分自身は分派結成にはまったく関わっていなかったし、そもそも分派活動の事実などなく査問は宮本執行部によるでっち上げだった。にもかかわらず自分を含む多くの学生党員がいわれなき拘束をされて役職まで奪われ、長いあいだ辛酸を嘗めさせられ続けてきたのだ、という趣旨の主張を行いました。

池上　自分たちは社会や革命のあり方について主体的に考え、党内で自由な議論を促そうとしていただけで、基本的には党に対する忠誠心を堅持していた。しかし共産党中央はそれだけのことを受け入れようとせず濡れ衣を着せて排除したのだ、ということですね。では共産党が言うような「分派活動」は実際にはなかったのでしょうか？

佐藤　そこがなかなか複雑なところで、川上は一〇年後の二〇〇七年に出した『素描・1960年代』という本（大窪一志との共著・同時代社）で『査問』の内容を一部訂正しました。党の規約に違反する、ある種の分派的な会合を実際にやっていたことを、ここで初めて告白したんです。

池上　なるほど。ちょっとややこしいですね。

佐藤　ただいずれにしてもこの新日和見主義事件の本質は、共産党内部に党の公式見解を良しとしない一派が現れたものの一斉に粛清されたという点にこそあるでしょう。

党内の青年グループに、彼らの言うところのニセ「左翼」暴力集団と親和性を持つ一派が巣くうなど絶対に許せなかったわけです。そしてこれ以降の民青は独自性を全くといっていいほどなくしてしまい、もはや完全に党中央の言いなりになるだけの機関になってしまったというわけです。

「川口大三郎事件」の衝撃

佐藤　そして同じく一九七二年の一一月八日には、早稲田大学で「川口大三郎《かわぐちだいざぶろう》事件」が発生しています。

池上　別名「早稲田大学構内リンチ殺人事件」。革マル派が第一文学部（一文）の二年生・川口大三郎君を中核派のシンパとみなして学生自治会室に拉致し、角材などで約八時間殴りつけるリンチを加えて殺害、さらに遺体を東京大学医学部附属病院前に遺棄した事件ですね。静岡から上京後、当時の多くの大学生と同じように学生運動に参加していた川口君は、早稲田を牛耳っていた革マルへの反発もあって中核派の集会に参加するくらいのことはしていたものの、実際にはほとんど中核派とは無関係だったと言われています。にもかかわらず革マル派は遺体遺棄の翌日、川口君殺害を正当化する声明を出しました。

川口君事件は、当時の早大生たちにとっては本当にショッキングな事件だったようですね。この頃の早稲田一文には村上春樹《むらかみはるき》さん、あるいは後年直木賞作家になる松井今朝子《まついけさこ》さんらも在籍していましたが、村上さんの代表作のひとつである『海辺のカフカ』では、明らかに川口君事件をモデルにしたと考えられるエピソードが主要登場人物のひとりの口から語られますし、松井さんの自伝作品『師父の遺言』でも事件への言及があります。

佐藤　革マルの暴力支配に多くの学生が怯えていたところに特定の党派との関係が限りなく薄い川口君が殺害されたことで一般学生たちの怒りが爆発し、事件後は革マル派を糾弾する集会が連日開かれ、そこに数千人もの学生が集まりました。

この革マル排除の運動を率いたのが、事件後に反革マル系の文学部自治会を立ち上げ、その委員長を務めていた樋田毅《ひだつよし》さんという後に朝日新聞の記者になった人です。

池上　樋田毅さんは比較的最近の二〇二一年一一月に『彼は早稲田で死んだ』（文藝春秋）という本も出していますね。

佐藤　樋田さん自身も革マルに襲撃され、大怪我をした経験があります。一般学生による、革マルを糾弾しようとする動きを革マルはさらに暴力で押さえ込もうとし、樋田さんも暴力の犠牲になったわけですね。

しかしこうした暴力を大学当局が見て見ぬふりをした結果、反革マルの声は徐々に掻き消されていき、結局早稲田では法学部以外のすべての学部で革マル派の支配が確定してしまいました。

『彼は早稲田で死んだ』の中で樋田さんは、当時早稲田を牛耳っていた革マル派の自治会副委員長や川口君殺害の実行犯らにインタビューするなどしてこれまで明らかになっていなかった事実も発掘しているのですが、読んでいてやはり印象的なのは、早稲田における革マル支配が完成する過程で、不作為に徹した大学当局の責任が非常に大きかったということです。当時の早稲田大学当局は革マルを、一種の用心棒として学内を仕切らせており、それゆえに革マル排除には一貫して及び腰でした。

池上　大学としては複数のセクトや民青が学内を跋扈《ばっこ》して戦争状態に陥るよりも、革マルが絶対的な存在として君臨していてくれたほうがまだ制御しやすいと判断し、敢えて革マルをのさばらせていたと言われていますね。

そもそも川口君の事件にしても、川口君が文学部の自治会室に拉致されたことは大学教員が早い段階で把握しており、大学側が施設管理権を行使して警察に出動要請すれば川口君は殺されなくて済んだはずだと樋田さんは書いていますね。

佐藤　警察が暴力団と癒着して縄張り（シマ）を仕切らせているのと同じ構図です。こうした現実を目の当たりにして、早稲田の一般学生たちは新左翼に対して心底嫌気がさしてしまったというわけです。

あさま山荘事件、テルアビブ空港乱射事件などに比べて後の世であまり知られていませんが、この川口大三郎君殺害事件もまた、新左翼運動が社会的な広がりを喪《うしな》う大きな転換点の一つだったのではないかと思います。

東アジア反日武装戦線と「三菱重工爆破事件」

池上　連合赤軍の事件によって新左翼運動の行き詰まりが顕《あらわ》になった後も、新左翼による暴発的な事件はしばらく続きました。ますます過激化し、テロ事件が日本中を震撼させます。

佐藤　革マル派のほうは、連合赤軍的な武装路線には冷笑的態度に終始し、大菩薩峠《だいぼさつとうげ》事件[1]にしても、塩見《しおみ》孝也《たかや》[2]のような「誇大妄想狂」の指導者に操られ、その挙げ句に「スパイの内通」により一斉検挙で終わった単なる茶番劇であるとして嘲笑《あざわら》いました。そうすることで自分たちはますます地下へと潜って組織強化を図ろうとしたのです。一方で中核派は、連合赤軍などが内乱を起こす準備をしていたことに大いに刺激を受け、武装闘争に傾斜していきました。

池上　権力と物理的に衝突するような場にあまり出てこない革マルとは違って、中核派は実際に機動隊とぶつかる闘争的なセクトであることを売りにしていましたしね。それが、自分たちよりももっと過激なことをやる党派が登場して脚光を浴びたことに衝撃を受け、そちらに引っ張られてしまった。

佐藤　だから爆弾も作ろうとしました。一九七五年九月には、中核派がアジトにしていた神奈川県横須賀《よこすか》市のアパート「緑荘」の一室で爆弾を密造しようとしていたところ誤爆させてしまい、中核派同盟員の男女三人が亡くなっただけでなく、彼らの真上の部屋に住んでいた、中核派とは無関係の母娘も死なせてしまう事故を起こしています。この事件により中核派は一時爆弾闘争を諦めざるを得なくなりました。

池上　この「横須賀緑荘誤爆事件」が起きた当時は天皇の訪米が予定されており、中核派は天皇訪米を阻止しようとして皇室関連施設の爆破を計画していたと言われています。これに直接的な影響を与えたのは、一年前の八月三〇日に起きた「三菱重工爆破事件」でしょうね。「反日武装闘争による反日革命」を標榜するセクト「東アジア反日武装戦線〝狼〟」によるテロ事件です。

東京駅の丸の内口を出た丸の内仲通りは、三菱商事やかつての三菱銀行など三菱財閥系企業の本社が軒を連ね「三菱村」の様相を呈していました。反日武装戦線は、戦前の侵略戦争や戦後のアジア搾取の責任が国家としての日本や天皇だけでなく日本の財界や民衆にもあると考えていました。そうした日本帝国主義の構成員である三菱グループの中でも軍需企業であり、日本の軍産複合体ともいえる三菱重工業の本社に時限爆弾を仕掛けたわけです。爆弾は午後〇時四五分に爆発し、八名が死亡、三八〇人余りが負傷する大惨事となりました。

事件が起きた当初は日本でこれほど本格的なテロ事件が起きるとは誰も想像できず、現場に駆けつけた警察や消防隊もガス爆発か何かだろうと思っていたと言われています。し

1　大菩薩峠事件：一九六九年一一月、赤軍派のメンバーが凶器準備集合罪で逮捕された事件。
2　塩見孝也（一九四一—二〇一七）：日本の新左翼活動家、元赤軍派議長。「日本のレーニン」と呼ばれた。一九八九年に出所。

かし現場検証すると明らかにガス爆発の現場とは違っており、しかも関係者への聞き取りから、爆破寸前の午後〇時四二分頃、三菱重工本社ビルの電話交換手に「三菱重工前の道路に時限爆弾を二つ仕掛けた。付近の者は直ちに避難するように。これは冗談ではない」という趣旨の電話がかかってきていたこともわかりました。

佐藤　この事件を皮切りに、三井物産、帝人、大成建設、鹿島建設、間組などの大企業を標的とした爆弾テロが立て続けに発生し、そのたびに重軽傷者が出ました。ただ、三菱重工爆破事件の後に発生した一連の事件については、反日武装戦線が直接関わっていたかどうか疑わしい面もあり、いくつかに関しては反日武装戦線の思想に共感する別グループが模倣犯的に行った可能性も指摘されています。

池上　しかし三菱重工爆破事件の二週間前の七四年八月一四日に決行が予定されていた「虹作戦」に関しては、間違いなく東アジア反日武装戦線が進めていた計画でした。昭和天皇が乗るお召し列車を鉄橋ごと爆破し、天皇を暗殺しようという衝撃的な計画です。ただ爆破決行前夜に鉄橋の橋脚に配線作業をしていた際、付近をホームレスのようにも私服警官のようにも見える人が徘徊し始めたのを見て警戒し断念したと言われています。

佐藤　三菱重工爆破事件で八名もの死者が出てしまったのも、本来なら「虹作戦」で鉄橋爆破のために使うはずだった爆弾を持ち越して使ったからでした。

池上　本来の計画では三菱重工を爆破するための爆弾は、もう少し小さなものにするはずだったようですね。だから、あれだけの大きな被害を出すことは、彼らとしても想定していなかった面もあった。

爆破数分前に「爆弾を仕掛けたぞ」とわざわざ予告していたのも、そうしておきさえすればみんな避難するだろうと思ってのことだったようです。ただいかんせん数分前なので電話を受けた側としてもどうしようもなく、結局大勢の犠牲者が出てしまいましたが。

佐藤　「虹作戦」については、自身も三里塚《さんりづか》闘争に参加した経験をもつ作家の桐山襲《きりやまかさね》さんが、『パルチザン伝説』という小説で、虚実を交じえながらも非常に詳しく書いています。

一九八二年に河出書房新社が主催する「文藝賞」の候補になり、翌年には河出から単行本としての刊行が予定されていたにもかかわらず、右翼からの抗議で単行本化中止に追い込まれた小説です。本作をめぐっては桐山さん本人の意思を無視して海賊版が出版されるなどのすったもんだがありましたが、桐山さん死後の二〇一七年に河出書房新社から正規版が刊行され、現在では普通に読むことができるようになっています。

「黒幕」太田竜の存在

池上　ところで「東アジア反日武装戦線」のリーダー格だった大道寺《だいどうじ》将司《まさし》[3]は、もともとは故郷の北海道でアイヌへの差別を目の当たりにしたことで独自の反日思想を持つようになったと言われていますね。そこからアジアを侵略する国の国民であるという自責の念を覚えて日本帝国主義を憎悪するようになり、これを打倒することを人生の目的と考えるようになった。

佐藤　そうです。だから公安警察は当初、『真説』『激動』にも登場した新左翼の源流的党派「革命的共産主義者同盟」（革共同）の創設メンバーである太田竜《おおたりゅう》[4]が黒幕ではないかと睨んでいました。

太田は一九六〇年代の終わり頃から、「高度経済成長を経て豊かな生活ができるようになった一般労働者はもはや革命の担い手にはなりえない。真の革命は、アイヌ、日雇い労働者、在日韓国・朝鮮人、被差別部落民など社会から疎外されている窮民の手によってのみ起きうる」という「窮民革命論」を提唱するようになっていました。この論が反日武装戦線の思想と重なる部分が多かったからです。

池上　反日武装戦線の正体が太田竜であるという公安の見込み自体は完全な外れでしたが、警察はなおも反日武装戦線と太田には何らかのつながりがあるはずだと考え、実際に太田と関係が深く、トロツキー全集などを刊行していた出版社「現代思潮社」の周辺を洗い出したことで、一九七五年五月一九日に大道寺将司を含む主要メンバー七人を一斉逮捕しました。逮捕を逃れたメンバーのうち、宇賀神寿一《うがじんひさいち》は指名手配から七年後に逮捕。もう一人の指名手配犯である桐島聡《きりしまさとし》は現在も行方がわからず、生死さえ定かではありません。

佐藤　このときも当局のやり方は戦前の共産党対策と基本的に同じで、しばらくは泳がせておいたんですね。そのうえで一網打尽にし、根絶やしにしてしまった。

池上　反日武装戦線の一斉逮捕では産経新聞がそうした捜査情報を摑んで虎視眈々と準備しており、大道寺らの逮捕が行われる当日の朝刊で「連続企業爆破事件の犯人、今日逮捕」というスクープを大々的に打つということもありましたね。

この時は警察が容疑者たちの自宅に踏み込む前にそんな記事が出てしまうと逃げられてしまうというので、容疑者たちが住んでいるそれぞれの地区の販売店だけ産経新聞の配達を遅らせることまで行われました。産経新聞はそこまで捜査に配慮することで逮捕される反日武装戦線メンバーの自宅情報も教えてもらっており、そのおかげで犯人たちが連行される現場まで写真に収めました。

3　大道寺将司（一九四八―二〇一七）：東アジア反日武装戦線のリーダー。一九七四年に三菱重工本社ビルを爆破、八人が死亡。翌年逮捕されて死刑が確定。二〇一七年に東京拘置所で病死。

4　太田竜（一九三〇―二〇〇九）：一九五七年黒田寛一らと日本トロツキスト聯盟を結成。世界革命、窮民革命をとなえ、新左翼の理論的指導者となる。のちエコロジー運動、さらにユダヤ陰謀論に転じた。

佐藤　逮捕時には自殺者も出ていますよね。

池上　そうですね。三菱重工爆破事件の主犯格と見られていた斎藤和《さいとうのどか》が逮捕後、警視庁に連行されるまでの間に青酸カリを飲んで自殺しました。青酸カリは、薬剤師であった大道寺あや子《こ》（大道寺将司の妻）が職場から盗んだものだったそうです。

佐藤　実はこれもそれまでになかったパターンですよね。逮捕後に法廷闘争などを通じて世間に自分の革命思想を訴えるわけでもなく、普段から青酸カリを肌身放さず持ち歩き、逮捕された時点で自決するというのは。それだけ覚悟してテロにすべてを懸けていたということですが、こうした態度は左翼よりも右翼テロリストやアナキストのそれに近いです。

左翼ではなく「アナキスト」

佐藤　そもそも彼らの場合、警察からは「極左暴力集団」と位置づけられてはいるものの本当に左翼というカテゴリーに入れていいのかよくわかりません。

なにしろ彼らの場合、とにかく日本の帝国主義を打倒するという意味で「反日革命」を標榜してはいますが、新しい体制を打ち立てるという本来の意味での革命には何ら興味を持っていません。この徹底して破壊し尽くせばおのずから何かができてくる、なるようになるのだという考え方は、アナキズム（無政府主義）に典型的な発想です。

そして日本におけるアナキズムは、戦前に権藤成卿《ごんどうせいきょう》[5]という農本主義（国の基礎を農業におくべきだと考える思想・運動）の思想家が唱えた「君民共治論」に源流の一つがあります。五・一五事件や二・二六事件を起こした青年将校たちも、権藤の強い影響下にありました。君民共治をごく簡単に説明すれば、日本は「君」（天皇）と「民」（民衆）さえいれば治まるのだという考え方です。

権藤は、日本という国は「国家」などではなく、「社稷《しゃしょく》」であると考えていました。「社」とは土地の神、「稷」とはその土地ごとにできる穀物の神を指しており、「日本」とはそれらの土地から取れた穀物を氏神様に祀ることによってつくられる共同体、ネットワークだというわけです。

そしてこのネットワークにおいては天皇というたった一つのコアがあることが重要であり、官僚や政治家などという存在はネットワークの循環を妨げるだけで何の役にも立ちません。昭和初期の日本では農村が窮乏し、娘が身売りされるなど、民が塗炭《とたん》の苦しみに喘いでいましたが、権藤とその信奉者の青年将校たちは、それは「君」と「民」の間に「臣」、つまり官僚だの政治家だのといった夾雑物《きょうざつぶつ》が入り込んでいるせいだと考えました。

5 権藤成卿（一八六八―一九三七）：明治―昭和時代前期の思想家。一九三一年橘孝三郎《たちばなこうざぶろう》らと日本村治派同盟をつくる。社稷国家の実現と農本自治主義をとなえ、血盟団事件や五・一五事件の関係者に影響をあたえた。

この余計な連中を排除し、君と民が共に手を携えて自治のネットワークを強化しさえすれば世直しはできるというわけです。

池上　なるほど。「政治」なるものの役割を全否定したがゆえに、君民統治論は右翼思想だけでなくアナキズムにも強い影響を与えることになったわけですね。

佐藤　ですから日本の有名なアナキストである石川三四郎《いしかわさんしろう》[6]などは戦時中、「天皇制のもとでのアナキズム」を提唱していましたし、戦後になってからは右翼よりもむしろ極左が権藤の思想を積極的に評価しました。一九七〇年代に戦前のアナキズム関連の文献を多数復刻したことで知られる京都のアナキズム団体兼出版社の「黒色戦線社」は、大杉栄《おおすぎさかえ》や伊藤《いとう》野枝《のえ》だけでなく石川や権藤の本も復刻しています。

黒色戦線社が復刻した権藤の本を買うと、中に東アジア反日武装戦線への支援を呼びかけるチラシが折り込まれていたくらいです。

また、東アジア反日武装戦線の思想にある意味で最も敏感に反応したのが新右翼の鈴木《すずき》邦男《くにお》[7]さんでした。鈴木さんは一九七五年に三一書房から出した『腹腹時計と〈狼〉』という本で、「これこそが本物の世直しだ」と彼らに対する共感を表明しているほどです。

池上　天皇を世界の中心に位置づける思想と、天皇暗殺を企てるセクトがこうして結びついてしまうのはなんとも不思議ですね。

「日雇い労働者」を組織化する困難

佐藤　鈴木さんが「本物の世直し」と称賛した東アジア反日武装戦線のテロリズムに太田竜の窮民革命論の影響があったことは先程も紹介しましたが、ただこの窮民革命論は、現実の世界で実践しようとすればレーニン主義などよりはるかに困難に見舞われるのも間違いありません。

というのは、マルクスとエンゲルスの『共産党宣言』を読んでもわかるように、マルクスが考える革命の担い手は、基本的に組織された労働者だけだからです。組織されていない、個人としてバラバラに生きている労働者のことを、マルクスは「ルンペンプロレタリアート」と呼んでバカにしていました。彼らは権力に買収されやすい塵《ちり》や芥《あくた》のような層であり、到底革命の担い手になりえないと考えていた。

池上　略してルンプロ。あの頃は中核派も革マル派も相手方の陣営にいる労働者たちのこ

6　石川三四郎（一八七六―一九五六）：社会思想家、社会運動家。一九〇二年に萬朝報社に、のち平民社に入る。福《ふく》田《だ》英子《ひでこ》の「世界婦人」の発刊をたすけ、無政府主義にかたむく。一九二七年共学社を設け、二九年「ディナミック」を創刊。戦後、日本アナキスト連盟を組織。

7　鈴木邦男（一九四三―）：一九六九年に全国学生自治体連絡協議会の初代委員長となる。七〇年、産業経済新聞社に入社。三《み》島《しま》由《ゆ》紀《き》夫《お》事件を契機に、七二年に一水会を結成して会長となった。

とをルンペンプロレタリアートと呼んで、お互いに罵りあっていましたね。

佐藤　しかし東アジア反日武装戦線や、彼らの周辺に集まっていたアナキスト系のグループはそれとはまったく逆のことを考えていたわけですよね。アメリカの哲学者であるヘルベルト・マルクーゼの理論などにも依拠しつつ、組織化した労働者は体制に組み込まれてしまうのだからこの人たちの力では革命は起きない、むしろ組織から疎外されている最底辺の人々から革命は起きるのだと考えた。

そして実はこうした思想は新左翼の一部も共有していて、だから彼らは山谷《さんや》や釜ヶ崎《かまがさき》などのドヤ街に潜り込んで自分も日雇い労働者になり、そこで寝起きしている日雇い労働者たちを組織化しようともした。でもそういう人たちを組織化するのって実際にやってみればものすごく大変ですよ。

池上　NHKで私の一年先輩の記者がまさにそれをやっていた人でしたね。その人は東大出身で、学生時代には山谷に潜り込んで日雇い労働者たちを一生懸命にオルグしようとしていたそうです。でもやはりうまくいかなかったのでしょうね。卒業後はNHKの記者になり、私も最初に赴任した松江放送局に一年早く行っていて、そこで島根県警のサツ回りを担当していました。

松江署の公安課に初めて挨拶に行った時は、公安課長から「ああ、君のことは東京から報告を受けているよ」と言われたそうです。
しかも、松江署の公安課に行くと必ずコーヒーが出てくるのですけど、その記者が帰った後に、コーヒーカップの指紋を採取して照合していたそうです。当時は左翼崩れが記者になるパターンはかなりあったので、「要注意」というお達しがあった記者に関してはそういうこともやっていたというんですね。

佐藤　なるほどね。だったら硫酸で指紋を潰しておけばいいわけですけどね(笑)。

話を窮民革命論に戻すと、その提唱者である太田竜は七〇年代の終わりにはマルクス主義を完全に放棄してしまい、その後は一切の生物はみな平等であり、生物界で人間だけが特権的地位にいるのはよくないという反人間主義的なアニマルライツ思想を提唱するようになった。さらにそこから進んでユダヤ陰謀論、果ては、実は今の地球で権力を握っている連中は人間じゃない、ホワイトハウスの高官たちやウォールストリートを牛耳る投資家どもは爬虫類人なのだと言い出すようになった。

ただそれでも太田竜が九〇年代以降に書いた本のいくつかは、陰謀論の愛好家には未だに基本書として読まれています。ある意味ではアメリカのトランプ現象などを先取りしていたのかもしれません。

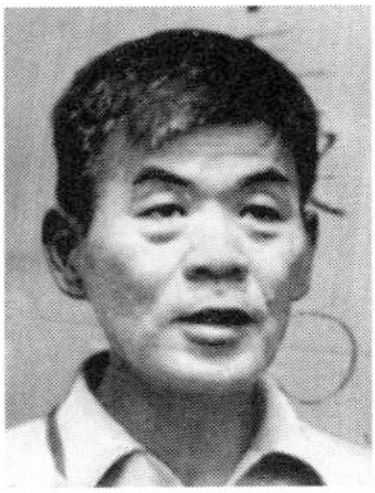
吉本隆明

吉本隆明が左翼に与えた影響

佐藤　このほかアナキズムの系譜とまでは言えないのですけど、若干の親和性もある系譜として思想家・吉本隆明《よしもとたかあき》[8]とそのフォロワーたちの流れがあるかもしれませんね。

マルクス主義では政治体制のあり方（上部構造）は下部構造である経済体制に規定されるものと通常考えますが、吉本は戦前の日本が、天皇制のような宗教的なイデオロギーにあっさりと支配されてしまったことに強い疑問を持っていました。そして国家や法律、企業といった社会の公的な関係、つまりマルクス主義的な上部構造は詩や文学と同じく単なる虚構であり、共同の幻想であると考えた。その幻想の正体を『古事記』や『遠野物語』を紐解きながら考え、「国家とは何か」を本質的に探究することで、国家と個人の関係を見つめ直したのです。これが吉本の「共同幻想論」です。

一般的な左翼が、国家なるものを良くも悪くも絶対的なものだと考えたのに対して、吉本は国家もまた共同幻想であるとして相対化し、さらにはマルクス主義も相対化してしまったわけです。

池上　吉本隆明は、左翼的な志向を持っているけれどマルクス主義につきまとう教条主義的なイメージを嫌う層、「型にはまりたくない」と考える当時の若者には圧倒的な人気がありましたね。

佐藤　だから特定の党派に属さない左翼グループの総称であるノンセクト・ラジカルの中にも、吉本の影響を強く受けていた人がたくさんいます。ただ、これらもいわゆる左翼とはまた別の系譜であって、どちらかといえばアナキズムにより近い系譜であると言えます。

もっともあさま山荘事件と連続企業爆破事件以降は、アナキズムもマルクス主義も全部同じ穴のムジナ、それぞれがどんなことを言っていようが関係なく左翼運動は怖いということになり、社会から完全に孤立してしまいましたが。

唯一盛り上がった三里塚闘争

佐藤　その後に起きた反日武装戦線を模倣したと見られるいくつかのテロ事件を除くと、七〇年代後半以降の新左翼は、ほぼ三里塚闘争に特化するというか、三里塚ぐらいでしか存在感を発揮する場所がなくなってしまったという印象がありますね。

池上　三里塚闘争についても前巻で少し触れていますが、経緯が複雑なうえ、実は現在も

8　吉本隆明（一九二四―二〇一二）：詩人、思想家。一九五二年に詩集「固有時との対話」、五三年「転位のための十篇」、五四年「マチウ書試論」を発表。既成左翼の思想を批判し六〇年安保闘争では全学連主流派を支持した。

まだ続いているという非常に長期にわたる闘争ですので、ちゃんと発端から話しておきましょう。

一九六〇年代に入り本格的な高度成長が始まると、まだ沖合の埋立地に向かって敷地を広げる前の狭い空港だった羽田空港は国内線・国際線ともに発着が激増してパンクしかねない状態に陥りました。そこで当時の佐藤栄作《さとうえいさく》政権は、羽田を国内線専門の空港ということにして、関東のどこか別の場所に「新東京国際空港」を作り、国際線と国内線の分離をすることでこの状態を解消しようと考えました。

最初に候補に挙がったのは、現在の成田空港よりももう少し東京寄りの場所にある千葉県富里市《とみさとし》（当時は富里村）でした。ところがこの案に対しては地元で猛烈な反対運動が起きて諦めざるを得なくなり、そこで代わりに見定められたのが成田市三里塚と芝山町《しばやままち》の一帯でした。

三里塚には天皇家の農産物を生産する「御料牧場」、つまり広大な国有地があったので、ここを軸として周辺の土地を多少買い上げれば空港建設はできるだろうと政府は考えたわけです。しかしこれが大間違いだった。

佐藤　三里塚の農民たちは、戦前は国策に応じて満州に渡り開拓民となったのに、敗戦によってすべてを失って引き揚げてきたという人たちでしたからね。

池上　戦前に満州で苦労した開拓農民が日本に戻ってきて、また大変な苦労をして農地を耕し、やっと農家として自立できるようになった。そんなタイミングでお上がまた「国策なのであなた方の土地は召し上げます」と言ってきたのですから、土地に縛られる彼らにしてみればそれは愕然《がくぜん》としますよ。いくら相場より高い値段で国が買い上げてくれたとしても、新しい土地でゼロから農業をやるのは非常に困難ですし、土地が変われば農業のやり方だって違うでしょうから。

農民たちの多くは素朴で、本来は保守的な人たちですので、最初は「天皇様に直訴しよう」と呼びかける人もいたそうです。しかしそこに様々な左翼党派がやってきて、「国家を相手に一緒に戦いましょう」ということになった。

佐藤　戦前にアジアを侵略し、自国民からも収奪を行った日本の帝国主義が戦後の経済成長とともに息を吹き返し、今度は「新東京国際空港」という新しい形の帝国主義として現れ、あなたがた農民から再び収奪を行おうとしているのだ、という理論立てをし、共同戦線を組んでいった。

池上　そうして三里塚と芝山町の農民と住民らにより一九六六年八月結成されたのが、「三里塚芝山連合空港反対同盟」（通称「反対同盟」）であり、これを社会党や共産党だけでなく、中核派や社青同解放派などの新左翼党派が支援する構図が出来上がりました。反対同盟と支援グループは建設予定地に「団結小屋」を建てて空港建設を妨害する活動を行うとともに、営農支援もしていました。

佐藤　三里塚闘争は最初の頃は非常に間口の広い闘争でしたね。反対同盟の代表になった戸村一作《とむらいっさく》はプロテスタントのキリスト教徒でしたし、社会党は「一坪地主」運動を推進した。

池上　土地所有者が土地を一坪以下まで細かく分割して他の人物と分け、登記簿上の地権者を増やす運動ですね。これに当時の社会党委員長であった成田知巳《なりたともみ》や佐々木更三《ささきこうぞう》など社会党の国会議員まで参加しました。一九七八年に東京新聞出版局が刊行した『ドキュメント成田空港』では、新東京国際空港公団の山本力蔵《やまもとりきぞう》・元副総裁が取材に対し、「天下の政党がそんなことをやるとは夢にも思わなかっただけに脅威だった」と述べています。

闘争の激化と失われる同情

池上　「苦労した農民が先祖伝来の土地を奪われる」という経緯があっただけに、世論やマスメディアも闘争開始直後は反対派に同情的で、なかには移転に応じた地権者を「裏切り者」扱いするような報道さえありました。反対同盟が結成された当初は約一五〇〇戸の農家が加盟していたと言われます。

こうしたなか、一九七〇年九月から一〇月にかけて空港公団が予定地に立ち入り測量調査を行うと、反対同盟は人糞を詰めたポリ袋を「糞尿弾」「黄金爆弾」と称して公団の測量班や機動隊に投げつける激しい抵抗戦を展開。この通称「三日間戦争」では五九人の逮捕者が出ました。

また翌七一年二月から三月にかけては、千葉県が反対派の土地を強制収用し、団結小屋も撤去する第一次行政代執行がのべ約三万人の機動隊を動員したうえで実施されたのに対して、反対派ものべ約二万人で竹槍や投石、火炎瓶などで抵抗する大規模な衝突が一三日間にわたって発生し、機動隊や空港公団職員、県職員、作業員の側は合計一〇七一人が負傷。反対同盟側も六〇六人が負傷し、四六一人が逮捕されたと言われます。しかしこの時点でも警察側は反対派に対する同情的世論を考慮し、逮捕した同盟員の大半を起訴せず数日で釈放していました。

ところがこれも闘争の長期化・激化とともに雰囲気は変わっていきました。特に千葉県が第二次行政代執行を行った一九七一年九月一六日には、後方配備されていた神奈川県警機動隊の隊員が新左翼で構成されるグループに襲撃され、三人の警官が殉職する「東峰《とうほう》十字路事件」が起き、ここからは警察の取り調べも厳しいものとなりました。

そして翌年にはあさま山荘事件の発生と山岳ベース事件の発覚によって新左翼全般に対

する嫌悪が噴出するようになった結果、反対同盟は過激派と同列にみなされるようになり、世論は急速に離れていきました。

佐藤　新左翼をグリップできない社会党への批判もこの頃に急激に高まりました。ただ社青同協会派や革マル派は、最初は参加するのですがかなり早い段階で離脱しています。なぜなら農民運動というのは基本的に土地に縛り付けられている農民たちの運動であるので、「生産手段をあらかじめ奪われている労働者こそが革命を担う」というマルクス主義の図式から考えれば、農民運動から革命へと直線的につながるわけではない。だから社青同協会派と革マル派は、農民運動には冷たいんです。

池上　だから今でも、三里塚闘争といえば中核派というイメージにどうしてもなりますよね。中核派の行動主義的なイメージはこの闘争で強化された側面もあるように思います。

北原派と熱田派への分裂

佐藤　三里塚闘争はその後も続き、一九七八年三月二六日には完成しつつあった空港の管制塔を新左翼メンバーらが占拠する事件が起きましたが、これも鎮圧されて活動家らが多数逮捕され、同年五月二〇日に開港は強行されてしまいました。

こうなるともはや運動としては限界でしたね。これ以後は反対派から多くの離脱者が出るようになりました。
　また一九七九年に戸村が亡くなってからは闘争の方針をめぐり同盟内部でも対立が深まるようになり、一九八三年には北原鉱治《きたはらこうじ》事務局長をリーダーとするグループと、熱田一《あつたはじめ》行動隊長を担ぐグループに分裂しました。北原派は中核派と革労協狭間派らが支援し、熱田派は第四インターナショナルや革労協労対派、共産主義者同盟（ブント）戦旗派などが支援した格好でした。さらに熱田派の中からは新左翼の支援を受けない小川嘉吉《おがわかきち》らのグループも派生しました。

池上　そうですね。地元の農家の人たちにしてみれば、自分たちの農地を奪われてたまるかという思いで反対運動を始めたものの、気がつけば空港建設はどんどん進み、反対運動に加わることなく補償金を貰って立ち退いた人の中には、立ち退いた先でちゃんと農業をしている人もいた。一方で自分も関わっている反対運動は際限なく過激さを増していき……とあって不安を募らせる農民が増えていった。そうした人が運動から離脱し、政府と和解して土地売却を選択するようになった。それでも反対同盟は、その後も国

北原鉱治

熱田一

相手に行政訴訟を起こすなどして闘争を続けましたが。

佐藤　ただこれも、当時の江藤隆美《えとうたかみ》運輸大臣が過去の誤りを認めたことで八〇年代末には話し合いの余地が生まれ、九〇年代に入ってからは、隅谷三喜男《すみやみきお》東大名誉教授らが、千葉県や成田空港らで構成される協議会の依頼で「成田空港問題円卓会議」を結成し、この問題を民主的かつ正義に適《かな》った方法で終わらせるべく農民たちとの話し合いを始めました。

池上　隅谷三喜男は戦前に満州の労働問題に取り組んだことで知られる経済学者ですね。高名なキリスト教人道主義者であり、五味川純平《ごみかわじゅんぺい》の小説『人間の條件』の主人公・梶のモデルという説もある隅谷が中心となって農民との話し合いを重ねたことで多くの農民・地主が第二期工事への土地収用と集団移転に応じ、小川嘉吉も行政訴訟を取り下げました。二〇〇六年には熱田一も運動から退き空港用地を売却しています。

これにより北原派だけが残り、この北原派が現在も中核派と一緒になって闘争を続けているという構図です。ただ北原自身は二〇一七年に九五歳で亡くなっています。

佐藤　三里塚闘争は本質がそもそも農民運動ですからね。隅谷のような農民たちの立場を理解できる人物が間に入ることで政府と話し合いをさせ、農民たちの多くは納得して和解に応じた。その和解に応じた人たちがその後しばらく過激な連中に裏切り者呼ばわりされ、隅谷も自宅に火炎瓶を投げ込まれるなどのこともありましたが、いずれにしても三里塚の闘争は農民運動らしく始まって、農民運動らしく終わった。
だから結局この闘争がピークだったのは一九七五年から七八年くらいまでの間になるわけです。つまり学生運動が退潮し新左翼としては闘争課題がなくて困っていた時期に、ある意味で都合よく浮かび上がってきた。

池上　そういう面は間違いなくあったでしょうね。また農民の側も、少なくとも当初は、若く元気のある学生たちが大挙してきてくれて農作業を手伝ってくれるなど、ありがたかった面もあった。

佐藤　中核派が当時三里塚での運動方針を指導したマニュアルには、「地元の農家の青年にからかわれたり、因縁をつけられたりしても絶対に相手にするな。抵抗するな」といったことも書いてありました。

池上　いちばん助かったのは農家の嫁不足が解消してしまったことかもしれませんね。地方の農家には跡取りになる男の子は比較的たくさんいるけれど、その青年たちの結婚相手になってくれる若い女性が慢性的に不足していた。そこに東京から、根が真面目で根性もある若い女性が大勢きてくれたわけですからそれはもう大喜びだったでしょう。だから今でも三里塚で頑張っている中核派は、農家に嫁入りしたり婿養子に入ったりしながら闘争を続けているという人がいますよね。

実は私の大学時代の知人にもそういう、三里塚闘争がきっかけで三里塚に定着してしまったという人がいます。

佐藤　中核派じゃなくてもノンセクトの活動家でそのまま三里塚に居ついてしまった人は結構いますよね。

反対同盟が熱田派と北原派に分裂した時も、同志社大学三里塚共闘会議は熱田派として三里塚闘争に関わっていました。前巻で知人が中核派から「教育的措置」と称してバールで足を折られた話をちょっとしましたが、これは中核派から受けた暴力です。

池上　「次は頭だからな」と言って去っていったのでしたね。

佐藤　そうです。私の友人でも中核派に襲われ負傷した人がいる。こういう個人的な経験もあって、私は中核派に対してよい感情を持っていません。もっとも本書ではそういう個人的感情はできるだけ抑えるようにしていますが。

日本共産党に対しても嫌な思い出がありますよ。京都は共産党が強い土地柄なんですが、同志社は大学当局も学友会（同志社ブント）外部の政党やセクトによって自治が侵されるのを嫌っていたため、学内には民青がほとんどいませんでした。それに対して立命館の民青が同志社の学生を装って入り込み、攻撃を仕掛けてくることがありました。しかも「暴力反対！」と口では言いながら、自分たちは釘を打ったプラカードを武器にして襲いかかってくるんです。

池上　立命館は民青の一大拠点でしたからね。

佐藤　そう。しかも、そうやって暴力的に挑発しておきながら、横には共産党系の弁護士とカメラマンがついていることがあるんです。要は民青の挑発に乗って同志社の学生が手を出すと、その瞬間を証拠としてカメラに収め、そのうえで刑事事件として告訴してくるわけです。そういう「告訴戦術」のような欺瞞的な戦術を八〇年代になっても日本共産党はやっていたんですよ。

池上　このように、学生運動後にも暴力沙汰は続くわけですが、次第に世論の味方も減り、新左翼の最後の灯も消えていきます。一方、次章で詳しく話すように、左翼は労働運動に活路を見出すようになります。七〇年代は左翼にとって「暴力から労働運動へ」という大きな転換点を迎えた時代だったと言えるでしょう。

佐藤　過激化して民衆の支持を失った新左翼と交替する形で、七〇年代の左翼は民衆の権利向上のための闘いに挑むことで存在感を発揮していくのですね。第二章では、社会党の盛り上がりと労働運動を中心に見ていくことにしましょう。

第二章

「労働運動」の時代

（一九七〇年代①）

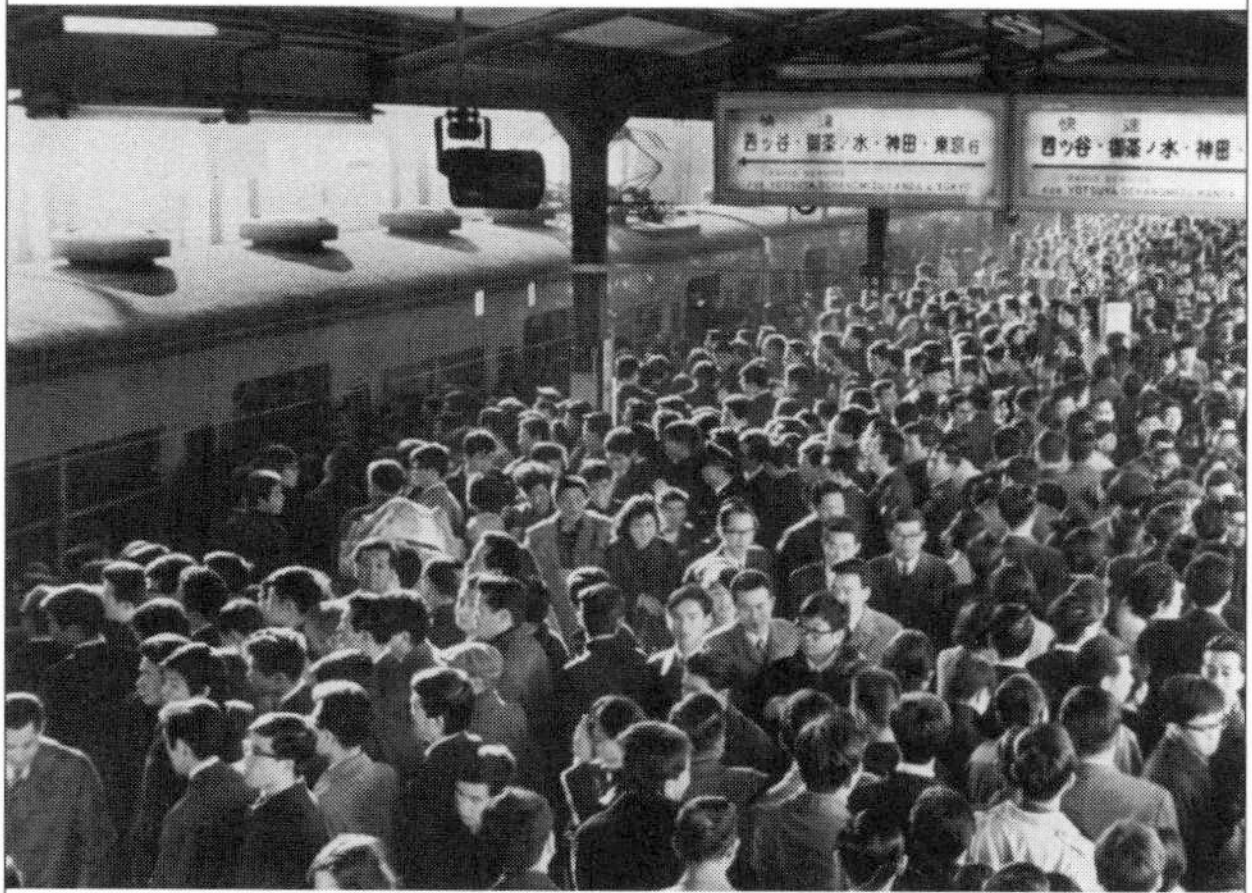

社会の矛盾に対し、人々は組合活動を通じて抵抗する。
左派には今までと違う役割が期待されるようになった。

《第二～三章に関する年表》

一九七三年	三月一三日	埼玉県上尾駅で暴動が発生（**上尾事件**）。
	四月二四日	首都圏国電暴動。
	七月一七日	渡辺美智雄・中川一郎・石原慎太郎ら自民若手タカ派三一名が青嵐会を結成。
	八月八日	金大中《キムデジュン》・韓国新民党元大統領候補、東京のホテルから数人の韓国人により白昼誘拐（金大中事件）。
	九月一一日	チリ・クーデター。アジェンデ政権崩壊、軍事独裁のピノチェト政権が誕生。
	一〇月九日	共産党、民主連合政府綱領を発表。
一九七四年	一二月二八日	創価学会と日本共産党との合意についての協定（創共協定）調印。
一九七五年	一一月	「**スト権スト**（ストライキ権奪還ストライキ）」が行われる。
一九七六年	七月二七日	ロッキード事件で田中角栄前首相を逮捕。
	七月二八日	第一三回共産党臨時大会。プロレタリアート執権、マルク

	（〜三〇日）	ス・レーニン主義の用語削除を含む綱領・規約改正を採択。
一九七七年	二月八日	第四〇回社会党大会開催。社会主義協会派による江田三郎副委員長批判で、左右対立激化。
	三月二六日	江田三郎社会党前副委員長、離党届提出。社会市民連合の結成を表明。
	一〇月二九日	社会市民連合結成大会、江田五月、大柴《おおしば》滋夫《しげお》、菅直人を代表に選出。
一九七八年	一月四日	共産党、袴田《はかまだ》里見《さとみ》前副委員長の除名を発表。
	三月一日	社会党初の委員長公選で飛鳥田一雄委員長を信任（対立候補なし）。
	三月二六日	社会民主連合（代表：田《でん》英夫《ひでお》）結成。

労働運動で「貸布団屋が繁盛」した？

佐藤　第一章でも見てきたように、一九七〇年代の左翼史は、新左翼が最後のあがきのようないくつかの事件を起こし、世間との乖離《かいり》をさらに深めた時代でした。

ただそれはあくまで新左翼の視点で見れば、ということであって、もっと大きな流れで見れば、**学生たちを主要な担い手とする政治闘争から、労働運動へ焦点が移っていった時代**でもありました。

この時代、日本の労働運動はかつてない高揚期を迎えました。これは戦後史において案外忘れられがちな事実ではないかと思います。

池上　たしかに一九七〇年代までの日本は、一般の人たちが労働組合に向ける視線が現在とはかなり違っていましたね。

たとえば国労（国鉄労働組合）がストライキを決行することで市民の足である鉄道が止まってしまう、というような場合でも、社会の側に、そうした不自由をある程度許容する空気がありました。「国鉄労働者とその家族にも生活があるし、自分たちも同じ労働者である。国鉄のストは回り回って自分たちの生活にも影響してくるかもしれないのだから応援しよう」「労働組合のストライキの権利も尊重しよう」という感覚が共有されていた。

だから「●日後に国労がストに突入」というニュースが流れると、翌朝の電車が動かなくなることを見越して、前の晩からみんなで会社に泊まり込むようなこともしていました。

今だったら「何もそこまでして会社に行かなくても」と言われてしまいそうな話ですが、当時の「企業戦士」の意識としては仕事を休むわけにはいかないし、かといって自宅から歩いて通勤するのも無理だということで、会社員たちは前の日から会社の床に布団を敷いて寝ていたわけです。そのための貸布団屋というのがあって、「明日の国電のストライキに伴い、オフィス街では貸布団屋が大繁盛」といったニュースも定番のネタでした。

なお、今私は便宜的にストと言いましたが、国鉄など公的な事業を行う事業体の場合、そこで働く組合員たちは、民間企業の組合がやっていたような「仕事を一斉に止める」というタイプのストライキは基本的にできませんでした。

GHQが占領時代に公務員の争議行為を禁止し、それを日本政府も引き継いでいましたし、さらに一九四八年一二月には「公共企業体労働関係法」(公労法)という法律を制定し、公的な事業を行う団体の職員がストライキを行うことも禁じていたからです。

この公労法が一九五二年に「公共企業体等労働関係法」に改正され、スト禁止の対象になったのが、いわゆる「三公社五現業」と呼ばれる公共企業体の労働者たちでした。「三公社」は日本国有鉄道(国鉄)に加えて、電話などの通信事業を行う日本電信電話公社(電電公社)、国の許可のもとタバコと塩を独占的に販売する日本専売公社(専売公社)の三社、

「五現業」は、郵政省による郵政事業、大蔵省の造幣局と印刷局による造幣事業と印刷事業、農林水産省の外局である林野庁による国有林野事業、および通商産業省によるアルコール専売事業を行う事業所を指します。

このうち国鉄の場合は国労や動労（国鉄動力車労働組合）、電電公社には全電通（全国電気通信労働組合）、専売公社には全専売（全専売労働組合）などの組合があり、郵政関係の労働者は全逓（全逓信労働組合）に加入していました。これらはみな総評（日本労働組合総評議会）に加盟し、総評の主力をなしてもいたのですが、ストライキ権は付与されていませんでした。

佐藤　公労法で三公社五現業の職員がストをできなくしたのと引き換えに、政府は「公共企業体等労働委員会」（公労委）という機関を設置。三公社五現業の労使紛争はこの委員会による調停・裁定によって解決することとし、職員たちの賃金についても、この公労委の裁定・勧告によって決まるという仕組みにしました。

ストライキと順法闘争

佐藤　そういう制度があったがために、国鉄職員の場合、正確にはストではなく「順法（遵法）闘争」が基本的な闘争の仕方でしたね。

池上　順法、つまりきちっと法律を守ることで逆に使用者側である国に対抗するという闘争の手法ですね。

若い読者にはどういう理屈でそんなことが可能なのか理解しにくいと思いますので説明しておきましょう。今も首都圏の通勤ラッシュは酷いものですが、現在と比べて路線の数自体が少なかった一九五〇年代から七〇年代にかけての国鉄は、朝の乗客を捌《さば》くためにとんでもなく過密なダイヤを組んでいて、それこそひっきりなしに電車を出していました。

しかしこの超過密ダイヤをクリアしようとすると、黄色信号で減速し、赤信号なら止まって青まで動かない、といった本来なら当たり前のルールもそのとおりにはとても守っていられないわけです。

佐藤　運輸省は「運転の安全の確保に関する省令」を出しており、国鉄でもこの省令に基づく安全綱領が定められていました。しかし朝の通勤ラッシュを捌こうとすれば現場はとてもそんなものを守ってはいられず、当局も黙認するほかなかった。要するに普段のほうが脱法状態だったわけですね。

池上　順法闘争はその普段の脱法状態を逆手に取って、一定期間に限り、もともとあるルールを徹底的に守るという闘争でした。

日本の鉄道の場合、今はＡＴＳ（Automatic Train Stop＝自動列車停止装置）という装置があって、自動的に減速したり停車したりする仕組みになっていますが、当時は列車が規定のスピードを超えても警報が鳴るだけでした。そして、普段は警報が鳴っても注意して運転しさえすればいいということで黙認されていたのを、順法闘争をするときだけは警報どおりに減速をした。

当然ながらルールを徹底的に守ると、電車にものすごい遅れが生じます。しかし組合員からすれば法律を守っているだけという言い分が立ちますし、当局が違法の推奨をできるはずもなく、取り締まりは困難でした。

佐藤　先ほど言ったとおり、国鉄など三公社五現業の労働争議は公労委に持ち込まれて、職員たちの賃金はこの委員会の調停・仲裁によって決められることになっていました。しかし初期の公労法の規定では国がこの調停案に従わなくてもペナルティが科されないことになっており、政府はずっと「財政の逼迫」を理由に調停案を無視し続けました。

池上　そうですね。だから政府の態度に業を煮やした国労は、一九五二年に初めて順法闘争に踏み切ったという流れです。

一九五三年には総評に加盟する三公社五現業の九労組が「公共企業体等労働組合協議会」(公労協)を結成し、公労協の組合員たちが休暇を一斉に取得したり、勤務時間内に職場集会を行ったりといった、法的にギリギリの線を狙って経営側にダメージを与えようとする「順法スト」も行いました。こうした闘争の成果で一九五六年には再び公労法が改正され、公労委の調停案に従う「努力義務」が国に課されたものの、国はこれ以後も相変わらず調停案を無視し続けました。

公労協がストライキという名称を公式に使ったのは一九六一年三月が最初ですね。このとき公労協は「私たちは好んでストライキをしようとするものではないが、政府・当局者が大多数の低所得者の意思を無視するかぎり、自らの生活を守るため、もはや憲法に保障されたストライキ権をもって闘う以外に道はない」という声明を出し、これ以後は、春闘などで実際にストが何度か計画・実行されることになります。

前巻（『激動』）で、公労協が一九六四年四月一七日に、国鉄幹線の全鉄道を対象に一斉に半日ストを行おうと計画したものの、共産党の反対により実現しなかったことを紹介しましたが、この「四・一七スト」もまた、そうした公的に宣言されたスト計画の一つでした。

ただ公務員や準公務員のストが違法行為であり、実施すれば組合幹部も懲戒解雇など重い処分を免れない以上、公労協加盟の組合にとってストはそう簡単に打てるものではありません。国労や全逓などが経営側と闘うにあたり、順法闘争がメインの戦術であることは七〇年代になっても変わりませんでした。また、国鉄の場合は先にも述べたように普段の状態が違法であるという特殊な事情もあったため、順法闘争は非常に有効な戦術でもありました。

佐藤　特に前巻にも出てきた、革マル結成時に黒田寛一《くろだかんいち》の右腕として副議長を務めた松崎明《まつざきあきら》に指揮された「国鉄動力車労働組合」（動労）は、順法闘争を最大の武器として一九七〇年代の国鉄争議を闘いぬき、「鬼の動労」の異名を取るほどでした。

国鉄内で差別された「全施労」の存在

佐藤　ところで国鉄の労働運動において、国労や動労の他に注目しておかなければいけないのが、全施労の存在です。

池上　「全国鉄道施設労働組合」。国鉄の鉄道施設保全にかかわる仕事に従事していた労働者たちの組合ですね。

鉄道の施設保全と言われても、今の若い読者には単に線路の保全をするくらいのイメージしか浮かばないかもしれませんが、昔の鉄道はトイレにタンクが備え付けられている車輛がものすごく少なくて、電車のトイレに入って便器を覗き込めば真下の線路が見えるような作りになっていました。私がＮＨＫ広島放送局呉《くれ》通信部での勤務を終え、東京の社会部に戻った一九七九年の時点でさえそういう車輛があり、その年、国鉄の東北本線のトイレで妊娠中の女性が力んだらそのまま胎児が飛び出て線路に落ちてしまったという事件を取材しました。
そんな電車の中のトイレで用を足せば当然そのまま線路に落ちていくわけで、昔の線路は常に糞尿が垂れ流されている状態でしたね。

佐藤　だから施設関連の職員たちは自分たちの仕事をまっとうしようとすると糞尿まみれにならざるをえない。しかしそれゆえに彼らは国鉄労働者の中にあっても他の職員から差別されていて、彼らが組織した全施労にしても、社会党や共産党は支援したがりませんでした。彼らを支援したのは公明党でした。

「郵便番号を書かない」反合理化闘争

佐藤　この全施労も含めて国鉄の各労組は一九七〇年代を通じて経営側との激烈な争議を繰り広げたわけですが、ここで注意しなければいけないのは、彼らが単に自分たちの賃上げのためだけに闘っていたわけではないということです。むしろこの時期の総評系労組の闘争の軸は「反合理化闘争」にこそありました。
現代のリベラル派は効率性や合理性を保守派以上にありがたがる傾向が強いので想像しにくいかもしれませんが、昔の左翼や労働組合にとって作業の分業化や機械化によってもたらされる仕事の合理化は、人間から仕事を奪い、人間を本来あるべき労働から疎外させる絶対悪だったからです。

池上　だから、郵便番号を書かない運動なんてものもありましたね。かつて郵便物の仕分けは郵便局で職員たちが目で住所を確認し、手作業で分けることで行われていたのを、一九六八年に郵便制度の省力化のために郵便番号制度が導入され、そこから機械が郵便番号を読み取って自動的に仕分けするようになりました。これに郵政省の郵便事業職員の労働組合である全逓が反発し、国民に「手紙やはがきを書く時に郵便番号を書くのをやめましょう」と呼びかけた。

佐藤　反合理化闘争は、産業革命期のイギリスで手工業者や家内制手工業の労働者たちが団結して機械の打ちこわしを行ったラッダイト運動のようなものとしてバカにする向きもありますが、資本主義社会においては仕事の効率化が必ずしも労働者のためにならないというのは普遍的な真実です。その意味で日本の反合理化闘争も非常に重要な問題を提起していたのは間違いありません。

　現代では職場の効率性を高め、職員一人ひとりの生産性を高めることで労働者もその果実を受け取ろう、などということを経営側だけでなく大企業の労働組合までが当たり前のように主張する風潮がありますが、こちらのほうがむしろ異常です。

池上　たしかに、マルクスが分析した資本主義の基本的なメカニズムからすればそうなりますね。

佐藤　剰余価値を増殖する、資本の自己運動の必然的帰結が合理化であるわけですからね。もっともこの反合理化闘争に対しても、総評＝社会党の影響力が強い運動でしたので共産党は反発していました。「合理化にも良い合理化と悪い合理化がある」といういつもの理屈で運動の意義を曖昧にし、足を引っ張ろうとしました。

「マル生反対闘争」

池上　現代の企業では従業員たちが「ＱＣサークル」という小集団を組織して自分たちの仕事を自主的に管理し、それによって商品の品質管理（クオリティコントロール）を徹底する「ＱＣ活動」が製造業だけでなくサービス業など様々な分野に浸透していますが、一九七〇年代にはこれによく似た「生産性向上運動」が国鉄や全国の郵便局で展開されたことがありました。

毎年の新卒新入社員の全体的な傾向を「たいやきくん型」（一九七六年）、「使い捨てカイロ型」（一九八五年）、「ドローン型」（二〇一六年）などとタイプ分けして発表している「日本生産性本部」という公益財団法人があります。もともと財界が国内産業の生産性向上を目的につくったシンクタンクです。「生産性向上運動」は、この法人が一九六〇年代から七〇年代前半にかけて国鉄や郵政省に協力して始めたもので、この運動に関する国鉄当局の指示書にはマル囲みの「(生)」という印鑑が押されていたことから労働者側からは「マル生運動」と呼ばれました。

この運動の内容を国鉄を例にとって説明すると、国鉄当局が一九七〇年に開設した「職員管理室」や「能力開発課」に全国の管理職を集め、そこで「労使協調して生産性を向上させる」ための研修を行うというものでした。しかしそこで実際に管理職たちに教えられていたのは、職員を組合から脱退させる説得の仕方などであり、実際にこの運動によって国労や動労は組織の切り崩しに遭い、組織率の一時的な低下を強いられました。

佐藤　だからこれに国労や動労が激怒し、「マル生反対闘争」が反合理化闘争の一環として展開されたわけですね。

池上　マル生運動はマスコミからも大々的な批判を浴び、一九七一年一〇月八日には公労委が、運動において不当労働行為があったことを認定。これを受けて同年一〇月一一日には当時の磯崎叡《いそざきさとし》総裁が国会で陳謝し、生産性向上運動の無期限延期を宣言する羽目になりました。これにより、国鉄における労使の力関係は一気に労働組合側へと傾くことになりました。

佐藤　反合理化闘争については、社会党左派の教育機関である労働大学が『学習　反合理

化　社会主義』という三巻本のテキストを出していて、この二巻目「反合理化」が非常にいい本です。

池上　社会党の中でも協会派は、反合理化闘争を特に徹底的に戦っていましたね。

佐藤　組合でいえば国労と全逓。だからやはり社会主義協会ですよね。

私が社青同で学んでいた一九七〇年代終わり頃のことを思い出しても、反合理化闘争を「いのけん闘争」、つまり命と権利の闘争として位置づけて学ばせていたことが印象に残っています。

今でこそ過労死や過労自殺に対しては労働者をそこまで追い込んだ企業側の責任が強く問われるようになりましたが、あの頃はまだ、労働運動全体を見てもその部分に対する批判が弱い面がありました。ややもすれば自殺した労働者本人が「階級的に弱かったのだ」と見る雰囲気さえありました。

しかし私が通っていた社青同の学習会では、実際に自殺した労働者の例を学びながら、仕事の中で自殺に追い込まれるというのはそれ自体が合理化の最大の問題であって、これは疎外の問題なのだ、個人の責任ではないのだと丁寧に、明確に教えていました。その点では二一世紀に猛威をふるうことになる自己責任論に対する反撃を、先取りするような学習をしていたと思います。

日教組が力を入れた闘争

池上 この頃に国労や全逓などと並んで総評の主力であり、社会党の強固な支持基盤だった組合のひとつに日教組もありますね。彼らの場合も公務員で、ストライキができないので順法闘争には力を入れていました。三〇分を超えて仕事をサボタージュすると違法なストライキになるけれど二九分間ならば「休憩」であるという理屈でギリギリまで粘る「二九分スト」、あるいは組合員が一斉に休暇を取る「一斉休暇闘争」なども日教組の闘争ではよく行われていました。

でもこれにしても違法なストライキの指示であると言われて、都教組の幹部が逮捕されました。

佐藤 当時の日教組は「全国教研集会」という教育研修も開催していて、授業での教え方や教材に関する研究も非常に熱心にやっていましたよね。もっともこの集会を開催すると、大抵の場合は右翼団体が街宣活動をし「反ソ、反共、反日教組!」などとがなり立てるものだから、開催のたびに街が騒々しくなりましたが。

池上 私はＮＨＫの社会部では旧文部省を担当していたこともあり、その頃に教研集会の取材もしたんです。文部省の場合、記者クラブに各社の政治部と社会部の記者が両方常駐していて、文部省の中でも官房、つまり日本の教育をどうすべきか、教育行政はどうあるべきか、といった大上段に構えて議論されるようなテーマについては政治部が取材をし、それ以外のいじめや不登校のような教育現場で起こる問題は社会部が取材していました。

ですから日教組の定期大会について取材するのは政治部で、教研集会は私たち社会部が担当でした。実際に取材に行ってみると、組合員たちが子どもたちの教育方法について本当に熱心に研究していることが感じられましたし、聞いていて感心させられるような研究発表をする人も何人もいました。私たち記者も、取材させてもらった研究発表をもとにニュースを企画することが結構ありました。

天王山となった「スト権スト」

池上　日本の労働運動が頂点に達したのは、今から思えば一九七五年の「スト権スト（ストライキ権奪還ストライキ）」だったのではないでしょうか。

公共企業体等労働者のスト権問題については、国際労働機関（ＩＬＯ）が一九六五年一月に日本に調査団を派遣し、ＩＬＯの八七号条約（結社の自由及び団結権の保護に関する条約）が採択済みであるにもかかわらず、日本が公務員のストを禁止しているのは不当であると認めたうえで、国と労組側の双方が合理的に妥協することを求めていました。

それにもかかわらず依然としてスト権問題解決に乗り出そうとしない政府を、公労協は順法闘争や順法ストで攻撃し、「マル生反対闘争」が労働者側勝利で終わった七一年一〇月以降はさらに活性化して「スト権奪還スト」を連発するようになりました。これにより首都圏の国電では運休や遅れが相次ぐようになり、第三章で述べる「上尾《あげお》事件」のような、怒った乗客たちによる暴動も起きていました。

こうしたことから一九七四年春闘ではスト権問題がこれまでになくクローズアップされ、労使間交渉の結果、政府側はスト権問題を検討する関係閣僚懇談会を設置して結論を「可及的かつ速やかに出す」ことで労組側と合意しました。労組側の発表によればこの際に、政府側は「一九七五年の秋頃までに結論を出す」と口頭で示唆したとも言われています。

七四年五月には合意どおり内閣官房長官を長とする「公共企業体等関係閣僚協議会」が設置され、同年八月からは学識経験者らで構成される「専門委員懇談会」が本格的な審議を始めたなか、同年一二月には田中角栄《たなかかくえい》首相が金脈問題で辞任し、少数派閥出身の三木《みき》武夫《たけお》が首相に就任します。

三木首相はもともと労組に宥和的で、条件付きであればスト権を付与してもいいと考えていたと言われますが、専門委員懇談会の委員の多くはスト権付与に慎重であり、それ以上に中曾根康弘幹事長など自民党内の主流派議員たちが強硬に反対しました。結局、党内基盤の弱い三木首相はこれらの意見に逆らうことができず、三木と中曾根が会談し、「違法ストには妥協せず、ストが決行されれば厳重に処置する」という方針が確認された七五年一一月二二日の時点で、政府がスト権付与を拒否するであろうことは誰の目にも明らかとなっていました。

公労協側はこうした一連の動きを見て二二日にストライキ突入を指令し、四日後の二六日に一斉にスト突入。「公共企業体等関係閣僚協議会」は突入当日になってようやくスト権付与を事実上拒否する内容の答申を発表した、という流れです。

国労や動労が一斉にストに踏み切ったことで、国鉄では旅客、貨物ともにほぼすべての列車の運転が休止になりました。また東京や横浜、川崎、名古屋、京都、神戸などの大都市で市電（都電）・市バス（都バス）を運行する公営交通の組合も、公労協との事前の申し合わせに従い半日ストや全日ストなどを「支援スト」として決行しました。

要するに公労協がスト突入を指令し、自ら事態の収拾を図った一二月三日までの八日間、私鉄を除く日本中の鉄道がほとんど止まってしまったわけです。

このスト権ストの影響について、昭和五一年度「運輸白書」は〈この闘争による影響は大きく、国鉄自身の直接の影響だけについてみても、旅客列車一四万三一一一本、貨物列車四万三八九三本の運休、影響人員一億五一二〇万人に及び、ストライキ前後の影響も含めて減収は、二六二億円に達した〉と記しています。

労組側敗北に終わったスト権スト

池上 ただ、これほどの大規模なストを実行したにもかかわらず、最後まで政府は労組に対するスト権付与を突っ撥ねました。その意味で「スト権スト」は失敗に終わりました。

翌一九七六年一月三一日にはストを主導した国労や動労の幹部ら一五名が解雇されたほか、合計五四〇五名のスト参加者が懲戒処分を受けました。

また国鉄当局は減収額二六二億円から経費節約額六〇億円を差し引いた二〇二億円が違法ストにより生じた損害であるとして、同年二月一四日に国労と動労の幹部らを相手取って東京地裁に損害賠償請求を起こしました。

佐藤 このときの政府はそうやってストを徹底的に弾圧しました。しかし現代において、仮に公務員が一致団結してスト権を要求してきたとすれば、政府は条件付きであっさりと認めてしまうかもしれません。「ストライキ権は認めてやる。しかしその代わり、公務員に認められている身分保障もしない」という条件を出してくるだろうと思います。

池上 要はストライキの権利を認める代わりに国や自治体がクビにしたいと思っている職員は解雇させろというわけですね。

佐藤　実際に今の政府の人たちにもそういう考え方はありますからね。

たしかに公務員にストライキ権が認められなかったのは、彼らの場合は身分保障がされているので「よほどのこと」、つまり刑事事件で有罪になり禁錮刑以上の判決が確定しない限りは失職しないということに対してのバーターという面がありました。

池上　だから、公務員は雇用保険にも入っていないですよね。

佐藤　そう。だから、私のように執行猶予付懲役刑になって失職してしまったケースでは失業手当がもらえないんです。

池上　（笑）。

佐藤　ですから、国鉄が民営化されてJRになったということは、見方を変えると国鉄労働者たちにとっての長年の悲願だったスト権が自動的に認められたということでもあるんですよね。

池上　そうなんですよね。ストライキ権が与えられた。それに関しては民営化されて日本郵便になった郵便局や、JTになった専売公社にも同じことが言えます。もっとも実際にストライキができる立場になった途端、どの組合もストライキをやろうとは言わなくなってしまいましたが。

七〇年代「社会党・共産党」のねじれ

池上　ここまで七〇年代の労働運動の盛り上がりについて語ってきましたが、本章の後半では、こうした熱気が政治に及ぼした影響についても見ていくことにしましょう。

佐藤　まず社会党に関しては、結党以来常に左右の対立を抱えバランスをとることに腐心しなくてはいけないという弱点があったわけですが、六〇年代から七〇年代にかけては労働運動の高揚を受けて左派の力が一気に強まりました。

自分たちをマルクス・レーニン主義者の集団であると規定する社会主義協会が党の中軸を掌握したことで、一九六四年には党の綱領的文書である「日本における社会主義への道」が採択された。これにより社会党は名実ともに革命政党となり、かなり先鋭化しました。

こうなれたのも結局は社会党という党の場合、手足になって動くのも、頭脳として政策や理論を構築するのも社会主義協会のメンバーたちだったからです。

池上　選挙などで実行部隊になる総評系の労働組合員たちも社会主義協会に所属している人がかなりいましたからね。私もＮＨＫ時代に加入していた「日放労」（日本放送労働組合）は組織として社会党を支持していましたから、選挙のたびに社会党のポスター張りなどに動員されました。

佐藤　池上さんが若手だった頃に日放労が擁立していた候補というと、上田《うえだ》哲《てつ》[9]ですか？

池上　そうです。上田は日放労の中央執行委員長を経て一九六八年にNHKを退職し、その年の参院選に全国区から出馬しましたが、全国に散らばる日放労組合員の後押しを受けて石原慎太郎《いしはらしんたろう》、青島幸男《あおしまゆきお》に次ぐ全国三位の得票で当選しました。その後も一九七九年に衆院に鞍替えするまでは日放労の組織内候補でした。

だから一九七三年に入局した私も、新人の頃は日本放送労働組合員として、休みの日に上田哲のポスターを抱えて各家を訪ねて、「すいません、社会党のポスター張らせてもらえませんか？」と頼んで回っていました。

当時NHKには私の一年先輩に、橋本龍太郎《はしもとりゅうたろう》の実弟で後に高知県知事になる橋本大二郎《だいじろう》さんもいたのですが、彼も在職中は日放労の組合員として社会党の支援活動をさせられていましたよ。

佐藤　総評はそうやって選挙のたびに機関決定をし、末端の組合員たちを一斉に働かせることができましたから、実行部隊としては大きいですよね。

池上　組合が機関決定で社会党を応援すると決めると、組合員たちは決起集会に動員されたり、ビラを配ったりポスターを張ったりと、本当にせっせと働いていましたからね。

9　上田哲（一九二八―二〇〇八）：政治家。一九六二年に日放労（NHK労組）委員長となり、六六年全日本マスコミ共闘会議初代議長。

佐藤　だからこそ共産党は同時期、労働組合が機関決定して特定の政党を応援するのは非民主的だから、政党支持の自由化をしろと言い出したんですよ。

この主張に対して社会党は、労働運動は最終的には社会主義体制の樹立を目指すものなのだから、総評傘下の組合員には社会党か共産党、どちらかの社会主義政党を選択させればいいのではないかと反論しましたが、共産党は、「いや、労働組合員にも自民党や公明党を支持する人はいるのだから、やはり政党支持は自由化すべきだ」と譲りませんでした。

もちろん共産党だって本音では共産党を支持しろと言いたかったはずだし言えばいいのだけど、総評における共産党系の影響力は社会党と比べれば微々たるものだったので言うに言えなかったんです。

このあたりから社会党と共産党の関係がねじれていきましたね。共産党という政党は社会党より右寄りなんじゃないかというイメージを持たれるようになっていった。

池上　そうですね。なぜ総評の中で共産党の存在感がそれほどなかったのかについて一応説明しておくと、総評は第一巻（『真説』）でも話したように、もともとGHQが日本の労働運動から共産党を締め出し、労使協調路線に誘導する目的で財界に働きかけて作らせたナショナルセンター（労働組合の連合組織）でした。それが一九五〇年代に社会党が積極的に組織化に乗り出した結果、「ニワトリからアヒルへ」と当時言われたほどに急激な左傾化を遂げ、戦闘的な組合に性格を変えていった、という経緯があります。ニワトリつまり家畜として飼われているのではなく、自由に活動するアヒルだ、というわけです。

一方で共産党は一九四六年に「全日本産業別労働組合会議」（産別会議）というナショナルセンターを自分たち主導で結成しており、四七年の「二・一スト」などではこれが中心的な役割を果たしたのですが、これも前々巻で話したように「二・一スト」が共産党の判断ミスで中止になった後は求心力を失い、さらにGHQによる共産党弾圧を経て一九五八年に解散に追い込まれていました。それ以降、共産党は自前のナショナルセンターを持つことが長い間できず、総評傘下の労組に「間借り」、つまり党員の労働者たちをそれらの組合に加盟させる方法でしか労働運動に影響力を行使できなかった、というわけです。

「楽しい」組合活動

池上　いずれにしても七〇年代に労働運動が盛り上がったことは総評の組織力拡大につながり、ひいてはこれが社会党の党勢拡大にもつながりました。

とはいえ今の若い人たちから見ると、当時の労働者たちはなぜ貴重な休日を潰してまでそんな活動をやっていたのか、不思議でしょうがないかもしれませんね。

佐藤　当時の組合って、レクリエーションの重要な部分を担っていましたからね。組合が企画して組合員みんなでハイキングに行ったり、バレーボールをやったりといったサークル活動的な要素もかなりあった。当時はそうした部分を労働組合がうまく組織できていたんですよ。

池上　そうですね。五月一日のメーデーなどになると、代々木公園に何万人も集まるわけですけど、これだって一種のハイキング気分ですよね。組合員たちが家族連れでやってきて「佐藤内閣を打倒するぞ！」などとシュプレヒコールを上げながら公道を練り歩く。行進が終われば親睦会もある。

佐藤　だから七〇年代までは労働運動といえば、案外「明るくて楽しいもの」というイメージだったんですよね。そうであればこそあの時代、労働運動はあれほどまでに盛り上がった。

池上　そういうイメージは間違いなくあったと思います。

佐藤　それに当時は春闘をすれば確実に賃金は上がり、年々右肩上がりになっていましたから、労働組合の意義や恩恵を多くの人が皮膚感覚で感じることもできました。反面、日本の場合は組合があるのは基本的に大企業ですので、組合が頑張れば頑張るほどに中小企業との賃金格差が広がっていった面もありましたが。

革新自治体、革新首長の誕生

佐藤　総評の組織力が拡大した結果、六〇年代後半から七〇年代にかけては日本各地の自治体に社会党系や共産党系の首長が誕生し、「革新自治体」が一気に増加しました。

池上　一九六七年の東京都知事選挙には労農派マルクス主義経済学者の東京教育大学教授・美濃部亮吉《みのべりょうきち》[10]が社会党・共産党の推薦を受けて立候補し当選。それから一九七九年まで三期一二年務めました。最初の当選時こそ得票は二二〇万票で、二位の松下正寿《まつしたまさとし》・立教大学名誉教授（東京裁判で日本側の弁護人を務めた弁護士で国際政治学者。自民党と民社党が推薦）とはわずか一四万票差での勝利でしたが、二度目の当選時の得票は三六〇万票を超え、これは個人の得票としては当時の最多記録でした。

美濃部亮吉

なおこの時に下した対立候補の秦野章《はたのあきら》は警視庁の警察官僚出身で、六九年の東大安田講堂事件では警視総監として機動隊突入を指揮した人物でした。

京都府知事には一九五〇年の時点で蜷川虎三《にながわとらぞう》[11]が社会党から出て当選し、蜷川府政は一九七八年まで二八年間続きまし

10　美濃部亮吉（一九〇四－一九八四）：経済学者、政治家。美濃部達吉の長男。一九三四年法大教授となるが、人民戦線事件で退職。一九六七年に都知事に当選。「革新都政」を三期担い、公害対策、福祉政策を進めた。

た。蜷川は六〇年代後半からは同和行政をめぐって社会党との関係がギクシャクした反面で共産党との関係を深めたため、京都府では共産党が長らく知事与党でした。

佐藤　横浜市長は、社会党左派出身で後に社会党委員長にもなる飛鳥田《あすかた》一雄《いちお》が、一九六三年から七八年まで一五年間務めました。

池上　神奈川県知事（一九七五〜一九九五）の長洲《ながす》一二《かずじ》[12]は、構造改革を主張して一九五九年に共産党を離党したマルクス主義経済学者でしたし、八三年には社会党の横路《よこみち》孝弘《たかひろ》が北海道知事になっています。あくまで大都市を中心にではありましたけれど、こうしてみると革新首長がやはりこの時代は多かったですね。

佐藤　だからこれだけ革新自治体が増えていくと、議会を通じた形での革命につながるんじゃないかという雰囲気がありましたね。

池上　世界的にも、アメリカがベトナム戦争に敗れて一九七二年には南ベトナムからの撤退を開始していましたし、南米チリでは一九七〇年にサルバトール・アジェンデが大統領に当選した。武力革命ではなく、民主的な選挙によって誕生した世界初の社会主義政権であるアジェンデ政権の存在は、選挙による社会主義革命が実際に可能なのだということの一つの証明になりました。

もちろん、この数年後にはアジェンデ政権が米ＣＩＡ主導のクーデターで転覆してしまう話についても次章で話すことになるでしょうが、こうした動きからは世界で社会主義の勢力が着実に拡大していることを実感しましたね。

佐藤　社会主義協会の革命論の基本は、ソ連の力を背景としつつ大衆運動も併せて展開し、議会で多数派を形成することで革命を実現しようというものですが、少なくともこの時点では、計画の要であるソ連の国力が弱まる気配はいっこうにありませんでした。

一方で社会党は、社会主義協会の学校である労働大学が全国に開設され、ここを通じての教育体制をかなり整えていましたし、ここで学んでいる社青同の同盟員や社会主義協会員たちからすると、議会を通じての権力奪取の可能性は十分にリアリティを感じられるものでした。

ですから革命なるものの現実味が七三年以降に急激に色あせていったというのは、あくまで新左翼側の視点でそうだというだけで、社会主義協会から見ると、むしろこれまでになく革命は近づいているように見えていたはずです。

11　蜷川虎三（一八九七―一九八一）：経済学者、政治家。一九五〇年に社会党公認で京都府知事に当選、以後連続七選。「憲法を暮らしの中に」をかかげ、教員の勤務評定反対、減反政策反対など独自の府政を推進した。

12　長洲一二（一九一九―一九九九）：経済学者、政治家。一九七五年に革新統一候補として神奈川県知事に当選し、五期務める。中央集権型行財政をあらためる「地方の時代」を提唱した。

宮本路線を放棄した共産党「日本経済への提言」

池上　ここまでの私たちの対談では、七〇年代の共産党について若干影が薄いような印象を与えているかもしれませんが、ただ実のところ共産党もこの時期に急激に党勢を伸ばしているんですよね。一九七三年一一月の第一二回党大会時に行った公式発表によると、この時に共産党の党員は三十数万人で、機関紙「赤旗」の購読部数は二八〇万部以上となり、どちらも党史上最大になっています。

佐藤　赤旗の部数はここからさらに増えて一九八〇年に最盛期を迎え、日刊紙と日曜版の合計部数が三五五万部に達しています。

池上　七〇年代は水俣病やイタイイタイ病、四日市ぜんそくなどの公害問題をはじめとした高度経済成長時代の様々な歪みが徐々に顕在化していた時期でもあり、共産党は公害闘争など様々な市民運動に介入してはそれらへの影響力を強めました。また労働運動でも共産党が「政党支持自由化」を呼びかけた成果は一定以上あったのでしょう。この頃から日教組、自治労（全日本自治団体労働組合）、国労など大手の産業別単一労組で共産党の影響力が徐々に強まっていったと言われています。

佐藤　社会党が主導する労働運動の場合、理論面では社会主義協会が非常に先鋭的な理論を組み立ててくれてそれを武器に闘えるはずなのですけど、それが現場レベルになると、やはり総評だけに労使交渉で組合幹部が経営側とボス交渉をし、適当な線で妥協してしまうということが往々にしてありましたからね。その点、共産党の労働運動は理論的に特に見るものはなくても、現実の争議になると妥協することなく徹底して闘います。

そうした場面を目の当たりにするなかで社会党の運動に物足りないものを感じ、真の革命は共産党じゃないとできない、と思う人たちがいたのは事実でしょうね。

池上 それはあるでしょうね。いずれにしても七〇年代はじめ頃の共産党はそのくらい勢いがあったので、社会党に対して「民主連合政府」を共同でつくろうと呼びかけていましたね。七〇年代の前半のうちに条件を整えて後半の遅くない時期に社会党との「民主連合政府」を発足。そこから社会主義への道を切り開くのだという構想を掲げていました。

佐藤 その構想を実現するために、一九七六年七月三〇日の第一三回臨時大会では、「自由と民主主義の宣言」という文書を採択しましたね。

共産党が七〇年代に発表したもうひとつの重要な文書が、一九七七年に刊行した『日本経済への提言』(日本共産党中央委員会出版局)でしょうね。ここで共産党は、社会主義革命が起きる前の、資本主義の枠内にいる日本でもある程度の民主的な改革は可能であるという観点でいくつかの政策提言をしました。これがなぜ重要かといえば、共産党がそれまでの宮本路線を放棄し、かつては敵視していた構造改革路線に事実上転換したに等しいからです。

とはいえ結局、共産党は社民主要打撃論、つまり社会民主主義はファシズムと同一であり、革命を成し遂げるにはまず社民勢力を打倒しなければならないというスターリニズム的な発想から抜け出せませんでした。まず偽りの労働者解放を吹聴する勢力を打倒し、それにより自分たちが革命運動におけるヘゲモニーを握るという方針はこの時期も変わっていません。たとえば日本共産党中央委員会出版局から一九七四年に刊行された『社会主義協会向坂派批判』を読むと、共産党の社民主要打撃論が生きていることがわかります。

共産党が二〇二一年に立憲民主党と野党共闘できたのは、立憲民主党がマルクス主義を掲げていないからですよ。仮に立憲民主党の中でマルクス主義を標榜するグループがあったら共闘なんて絶対にできないと思います。

「創共協定」の衝撃

佐藤　そして創価学会もまた、六〇年代の後半から七〇年代にかけて爆発的に会員数を増やしています。一九五七年に池田大作《いけだだいさく》が三代会長に就任した時点での会員は七五万世帯でしたが、七〇年の時点では一〇倍の七五〇万世帯に急拡大しました。

池上　そうですね。特に一九六一年から六二年ぐらいの時期は創価学会の折伏《しゃくぶく》、つまり新会員獲得のための運動がすごかったのを覚えています。

佐藤　でも、実はこれも左翼運動の興隆と裏腹の現象です。左翼運動というのは基本的に組織された労働者と知識人の運動なので、本来ならば労働運動が組織すべき未組織労働者の中に左翼運動では救いきれない部分がどうしても出てくる。そうした層が創価学会に流れたわけです。だから共産党と創価学会はマーケティング的には一番ぶつかるわけですよね。

池上　あの頃は実際に創価学会と共産党が凄まじい罵《のの》り合いをしていましたし、現場レベルでの対立も過熱していましたからね。当時は都営住宅などに行くと、ポスターやチラシを貼れるような限られたスペースに両党のポスターがひしめき合っていて、それを見るだけでも両陣営がいかに激しく争っているか想像できる状態でした。本来はそうした公営の場所に政党のポスターを張ることはできないはずなのですけどね。

佐藤　だから手打ちする必要も出てきて、七四年に創共協定が結ばれたわけですよね。創価学会と日本共産党が作家・松本清張《まつもとせいちょう》の仲介により一時的ながら和解した。

池上　松本清張は『日本の黒い霧』や『昭和史発掘』などを読めばわかるように共産党に対するシンパシーを持っていた一方で創価学会の理解者でもありました。その清張からすると、ともに社会の中の最も弱い層に支えられている二つの勢力がいがみ合っているのは与党自民党を利するだけであり、日本の民衆にとって不幸なことであるという思いがあった。だから、自分が仲立ちすることで歴史的な和解をさせた。

今でこそ公明党は自民党と長いこと連立与党を組む間柄になっていますが、この頃は自民党こそが公明党と共産党にとって共通の敵でしたからね。

佐藤　創共協定そのものは、公明党と共産党それぞれに内部で反発があり、数年で破綻してしまいました。しかし、この時に共産党が「宗教を敵視しない」ことを約束し、ここから宗教勢力との宥和路線に舵を切るようになったことはそれなりに意味がありましたし、共産党と創価学会の間でも、協定締結から一〇年ほどの間は、以前のような激しい対立が見られなくなりました。

よく創共協定は八〇年頃にはすでに死文化していたかのように言われますが、実は共産党はこの時期、公明党批判はしていても、協定を結んだ直接の相手である創価学会に対する批判はかなり抑制しているんですよ。教団と党は別という考えのもと、一定の区別はなされてきたわけです。

池上　現場でも以前ほど激しい対立は起きなくなりましたね。

佐藤　だいぶ沈静化されましたね。ただそれも実は二〇二一年頃から再び激しくなっている印象があります。ここ一年ほどの「赤旗」を読んでいると、公明党と創価学会の政教一致状態に対する攻撃をかなり頻繁にするようになっているんですよ。

だからそれだけ今の共産党には、創価学会によって追い込まれているという焦りがあるのではないでしょうか。

第三章

労働運動の退潮と社会党の凋落（一九七〇年代②）

大量消費社会の到来は労働運動のあり方を大きく変える。
そして、社会党の迷走が始まった。

上尾事件と首都圏国電暴動

佐藤　ここまでの話を総括すると、新左翼があさま山荘事件をはじめとする暴発的な事件によって社会から相手にされなくなったのち、左翼運動は社会党や共産党という既成左翼が再び主導権を握るようになりました。その中で社会党＝総評を軸とした労働運動が特に目覚ましい成果を挙げ、地力をつけた総評が選挙でも社会党や共産党系の候補を後押しした結果、革新自治体が各地に誕生しました。

また水俣病やイタイイタイ病、四日市ぜんそくなどの公害が深刻化し、さらにはオイルショックなどにより物価が急激に上昇していく世相にあって、財界と結びついた自民党にはできない公正配分的な政策が望まれたことも左派躍進の追い風となりました。大企業が厳しい規制をかけられることなく経済活動を行える状況に歯止めをかけるとともに、企業の利潤を勤労大衆に、より多く再分配していく役割が左派政党に期待されたのです。

ただ、そうした左翼への期待や共感は七〇年代の終わりになると少しずつ弱まっていきました。

池上　その理由のひとつは、全人口に占める戦後生まれ世代の割合が増えた結果、国民がそれまで抱いていた切実な反戦願望が薄れ始めたことにあるでしょうね。また、前章でも述べたように社会が労働運動に寄せていた理解・共感が、七〇年代を通して徐々に萎《しぼ》んでいったのも大きな要因でしょう。

国鉄の順法闘争などにしても、これを実行すればどうしたって大勢の市民が通勤・通学で不便を被るわけで、市民たちが鷹揚に構えていられるのも限界がありました。そうした、一般市民の反労組感情が最初に噴き出したのが一九七三年三月一三日の「上尾事件」、そして同年四月二四日に起きた「首都圏国電暴動」という二つの事件でした。

高度経済成長時代に首都圏の人口は郊外へと流出し、上尾市や桶川《おけがわ》市、北本《きたもと》市や鴻巣《こうのす》市など埼玉県中部の各都市も都心に通勤するサラリーマンとその家族のベッドタウンとして開発され人口が急増しました。なかでも上尾市は、一九六〇年には約三万八〇〇〇人だった人口が一〇年後の七〇年には一一万人を超えるという凄まじい増加ぶりでした。

一方でそうした埼玉中部の住民たちが通勤に利用していた高崎線という路線は、慢性的な赤字に喘ぐ国鉄が新車輛の投入を渋り続けていたこともあり、朝夕のラッシュ時には乗車率が二四〇%を超える混雑が常態化していました。

佐藤　当時の高崎線では車輛があまりに混雑して、窓ガラスが割れることが普段からあったほどですからね。

池上　そうらしいですね。一方で動労はこの頃、安全運行の観点から全長二キロ以上のトンネル区間と深夜時間帯では運転士を二人体制にするよう労使交渉で要求したものの、国鉄経営陣から拒否されたことで三月五日から順法闘争に入っていました。そしてその闘争を、同一二日からは高崎線で勤務する動労組合員も開始しました。

その結果、一三日朝の上尾駅では上尾発の始発電車が二五分遅れの六時六分に出たのを最後に一時間以上も上り列車が到着せず、約五〇〇〇人もの利用客がホームなどで待たされる状態となりました。しかしようやく到着した列車は定員八四〇人に対し三〇〇〇人以上がすでに乗車。五二分遅れで到着した次の列車も定員九四四人に四〇〇〇人以上が乗っていてほとんどの人は乗車できず、しかもこの列車が二本とも二駅先の大宮で止まってしまうとアナウンスされた。これで一部の乗客の堪忍袋の緒が切れてしまい、ついに運転席の窓ガラスを割り始めました。

身の危険を感じた運転士は駅長室に逃げ込みましたが、ここから多くの利用客が暴徒化して駅長室を襲い、駅長や助役に怪我をさせたほか、線路の分岐器や信号など駅の運転設備も破壊しました。最終的には機動隊が動員されて鎮圧されましたが、この間には乗客によって上尾駅の駅長と助役が乗客に拉致され大宮駅まで歩かされるということまでありました。

この上尾事件が起きたことで動労も順法闘争をいったん中止するのですが、その後も労使交渉がまとまらなかったことから、四月に順法闘争を再開しました。しかしこれが四月二四日、上尾事件をはるかに上回る規模の暴動事件を招くことになりました。

こちらの暴動は朝ではなく夕方から夜の帰宅ラッシュの時間帯で、火がついたのは赤羽駅でした。赤羽駅ホームにいた約一五〇〇人の乗客が動労の順法闘争により下り列車に乗車できなくなったことに激怒し、電車停止中に運転士を引き摺り下ろして電車を破壊し始め、赤羽駅での列車運行がすべて停止してしまったのです。その影響が山手線など他の路線にも及んだことで、上野、新宿、渋谷、秋葉原、有楽町など合わせて三八駅でも同時多発的に暴動が起きてしまいました。

上野駅では、いつまで経っても電車が発車しないことに怒った乗客が列車に投石して運転士を引き摺り下ろし、改札事務室や切符売り場を破壊。危険を感じた職員たちが逃げ出し無人状態となった駅で放火騒ぎが起きました。

新宿駅などでも利用客が駅長事務室に押し掛けて料金精算所や売店などを襲撃し、切符や現金、売店の商品を略奪する者も現れました。暴徒の数は三八駅の合計で三万二〇〇〇人を超え、そのうち一三八人が放火・窃盗などの容疑で逮捕。列車の破壊などにより国鉄が受けた損害は、合計で九億六〇〇〇万円に上ったと言われます。

この二つの暴動事件をきっかけに、国鉄ストに対する世の中の視線が少しずつ冷え込んでいったのは間違いないように思います。

佐藤　そうですね。ただ上尾事件と首都圏国電暴動は、高度成長時代の首都圏膨張で郊外人口が急増し、その結果として乗客の輸送が追いつかなくなった皺寄せがこのような形で現れたという構造的な背景を持つ事件でもあります。

反合理化闘争の裏側

池上　一方でこの二つの暴動事件は、動労が乗客の安全のために運転士の増員を求めたことを発端としており、彼らの反合理化闘争の一環でもありました。ただ今から思えば、反合理化闘争への取り組み方に関しては同じ総評加盟労組でも濃淡がありました。

たとえば三公社五現業のひとつである電電公社には「全国電気通信労働組合」(全電通)という組合があり、ここも当初は他の総評系組合と同じく合理化に強く反対していました。

佐藤　昔は電話をかけるには、受話器のむこうにいる電話局の交換台に「どこそこの何番につないでください」といちいち頼まなくてはいけませんでしたからね。

池上　そうなんです。さすがに東京は七〇年代にもなると自動化がかなり進んでいましたが、同じ時代でも地方、たとえば私がＮＨＫの松江放送局に勤務していた頃の島根県では一部で相変わらず交換手がいました。

だから電電公社が自動電話交換機の導入を本格的に進めていた一九六五年の春闘では、

全電通は二度にわたる半日全員ストを行い、解雇三二名、停職六七七名を含む一五万五四七三名もの処分者を出しながら抵抗したこともありました。しかし全電通は翌六六年六月、処分者の実害を回復するのと引き換えに当局の合理化に一定の協力をするようになり、その後は国労・動労や全逓のような激しい反合理化闘争はしませんでした。

佐藤 そうでしたね。公労協加盟労組の中でも際立って労使協調的な全電通に対して、国労など社会主義協会の強い影響下にある組合は不信感を抱き、総評内部に対立の種がまかれました。これはのちに述べる、社会党における社会主義協会パージの伏線にもなりました。

池上 全逓の郵便番号闘争にしても、合理化の流れに逆らってあくまで闘おうとするグループもいたものの、結局は抗しきれませんでした。そうした合理化をめぐる意見の違いは組合内部に亀裂を生み、そこから組合員が労使協調路線の第二組合に流れ、総評の弱体化につながりました。

そうしたなかで台頭したのが、一九六四年に結成されたもうひとつのナショナルセンター（労働組合の連合組織）である全日本労働総同盟（同盟）です。同盟は七〇年代を通じて存在感を増していきましたね。

同盟の誕生

池上　年代の上では前後してしまうのですが、この章で大いに関係のある話でもありますので、ここで右派系の労働組合の歴史についても簡単に触れておきましょう。

第一巻（『真説』）でも述べてきたように、総評はもともとGHQが日本の労働運動から共産党の影響力を排除するべく、財界に働きかけて一九五〇年に結成された「反共・労使協調」色の強いナショナルセンターでした。しかしレッドパージで共産党が労働運動への影響力を失うなかで戦闘的な労働運動の受け皿が総評以外にない状況となって、五〇年代初頭には早くも左傾化。そこからは社会党＝社会主義協会中心に組織化が図られ、社会党を支持し、日米安保にも反対する左派的な組合となっていきました。

しかし総評に加盟するすべての単産（＝産業別単一労働組合。同一産業で働く労働者が会社の垣根を越えて組織する労働組合のこと）が左派路線を支持していたわけではありませんでした。それが最初に表面化したのが、一九五二年一二月に繊維産業の産別組合である「全国繊維産業労働組合同盟」（全繊同盟、のちゼンセン同盟）など、四つの単産が総評指導部の左派路線を「世論の支持を失い、政府にスト制限の口実を与え、ひいては労働運動を後退させてしまう」と公然と批判したことでした。

そしてこの声明を出した四単産のうち、ＮＨＫの職員組合である日放労をのぞく三つが一九五三年七月以降相次いで総評から脱退し、五四年には全繊同盟出身の滝田実《たきたみのる》を初代の議長として全日本労働組合会議（全労会議）を結成しました。

佐藤　一方で戦前からの労働運動家で、一九五一年に社会党が一時分裂した際には右派社会党の執行委員も務めていた菊川忠雄《きくかわただお》らは、戦前から活動していたものの、戦時中に産業報国会に組み込まれてしまったナショナルセンター「日本労働組合総同盟」（総同盟）を戦後復活させていました。

池上　また一九六二年四月には全労会議と総同盟の相互連絡機関として「全日本労働総同盟組合会議」（同盟会議）が結成されました。……ちょっとややこしくなりましたが、以上に述べた三つ、つまり総同盟と同盟会議が全労会議と合流することで結成されたのが、さきほど紹介しかけた全日本労働総同盟（同盟）ですね。

同盟は労使協調路線と反共主義を掲げ、選挙では西尾末広《にしおすえひろ》ら日本社会党の右派が離党して一九六〇年一月に結党していた民社党を支持しました。

そうした経緯があるだけに同盟と総評の関係は非常に険悪であり、労働運動が盛り上がった一九六〇年代以降、ひとつの職場で総評系と同盟系の労組が衝突するケースが頻繁に見られるようになりました。

佐藤　同盟でも、国鉄職員たちが加盟する「鉄道労働組合」（鉄労）は主力をなしていましたが、鉄労の場合は総評系の国労や動労と違いストライキを打つことはなく、あくまで労使協調路線の組合でした。

池上　日本郵政公社でも総評系の全逓に対して、「全日本郵政労働組合」（全郵政）という同盟系の第二組合が一九六五年に結成され、全逓と拮抗する勢力になっていきました。

佐藤　この同盟の若手組合員を養成するために、民社党の第二代委員長である西村栄一《にしむらえいいち》（西村眞悟《しんご》元衆議院議員の父）が一九六九年に開設したのが富士政治大学校です。富士山麓の静岡県御殿場《ごてんば》市に本校、岡山県のゼンセン中央教育センター内に西部本校があり、同盟系労組の組合員たちがそこに集められて二泊三日で研修を受けるんです。

一九八〇年代はじめに宇治芳雄《うじよしお》というジャーナリストが富士政治大学校に潜入取材して書いた『洗脳の時代』（汐文社）などによると、ここの研修では「全郵政ッ！」「躍進ッ！」「全逓ッ！」「粉砕ッ！」といったコールを何百回も繰り返させていたようです。また、「行動強化訓練」と呼ばれる模擬訓練では、受講生に順番に同盟系の労組の「正しさ」についてのスピーチをさせる一方で、残りの受講生には「帰れ！」「第二組合のイヌめ！」などと野次らせ、最後にはしばしばつかみ合いの乱闘になるなど、かなり殺気に満ちた内容だったようです。

池上　私の場合は所属する日放労が総評の社会党系、民放の人たちが所属する「日本民間放送労働組合連合会」（民放労連）は共産党系だったので同盟系の労組とは接点がなく、彼らとの小競り合いも経験していないのですけど、こうやって意識的に総評を切り崩そうとする先鋭的な右派勢力は、六〇年代末から七〇年代にかけての時期にどんどん出てきましたよね。民社党だって社会党から分裂したばかりの頃はそれほどでもなかったのに、この頃から自民党以上に右寄りの政党になっていった。

それも結局は労働運動がかつてない盛り上がりを見せた結果、日本が本当に社会主義の国になってしまうのではないかという危機意識が政財界の中で強まったからでしょう。

アジェンデ政権の崩壊

池上　社会主義協会がずっと掲げていた「平和革命」実現の希望を萎ませたという意味では、一九七三年に起きたアジェンデ政権の崩壊もかなり大きな事件だったのではないでしょうか。

第二章でも述べたように、南米チリでは、若い頃から国内の貧困問題に取り組んできた医師出身の政治家サルバトール・アジェンデが一九七〇年に大統領に選出され、世界で初めて自由選挙によって合法的に選出された社会主義政権が誕生していました。

しかしこれにアメリカが、自分たちの大陸と地続きの南米で、しかもキューバと違って内戦を経たわけでもなく民主的な選挙で社会主義政権ができたとあって、すさまじい危機感を抱きました。そしてCIAは当時のチリ陸軍総司令官だったアウグスト・ピノチェトをけしかけ、アジェンデ政権誕生から三年後の一九七三年九月一一日に、チリの首都サンティアゴ・デ・チレでクーデターを起こさせました。

アジェンデは軍に大統領官邸を襲撃され、自分でも銃でもって抵抗したものの最後は自決しました。

佐藤　この事件は、日本共産党が「敵の出方論」を強めるうえでも非常に重要な出来事でしたね。つまり平和的な方法で革命を実現しても、その後に反革命勢力に武力によってひっくり返されることがあるのだと実例で示されてしまった。

池上　しかもピノチェト政権の場合はアジェンデ政権を転覆することで終わらず、社会主義勢力に対する大量虐殺を行いましたからね。

佐藤　幅広く網をかけるように、社会主義に関係ない人まで殺しましたね。

池上　だから、冷戦終結後にピノチェトが失脚してチリが再び民主化されてから、軍政時代にどれほどの人が政権に殺されたのか調査が行われ、その結果、万単位で行方不明者がいたことがわかった。このほとんどがピノチェトによって殺されていると考えられています。

佐藤　ギリシャ出身の映画監督コスタ＝ガヴラスが一九八二年にハリウッドで制作し、アカデミー賞の脚色賞とカンヌ国際映画祭のパルム・ドール（最高賞）をダブル受賞した『ミッシング』（行方不明者）という映画は、この軍事クーデターでのアメリカ政府の関与を告発した作品ですね。

池上　そうやってチリの社会主義者を皆殺しにしたうえで、当時のニクソン米大統領とその国家安全保障問題担当大統領補佐官であったヘンリー・キッシンジャーは、経済学者ミルトン・フリードマンにピノチェト政権を支援させました。フリードマンは経済学における新自由主義の代名詞と言える「シカゴ学派」の総帥であり、その彼の弟子たちにチリの軍人たちの代わりに経済政策を立案させることで、社会主義に対する資本主義の優位性を世界に向けて立証しようと考えたわけです。こうしてチリは、新自由主義の理論を実践するための実験場となりました。

佐藤　フリードマン一派の指導のもと、ピノチェト政権は規制緩和と国営企業の民営化を推進し、海外からの投資を呼び込む一方で、国際競争力のない企業は市場から撤退させるなど急進的な改革を行いました。しかしこれが成功したかというと……。

池上　そうなんですよね。改革がスタートして一時はチリのＧＤＰは大きく伸び、フリードマンは「チリの奇跡」と自画自賛しましたが、猛烈なインフレを引き起こしただけでなく八〇年代に入るとバブルが崩壊し、後遺症のほうが大きかった。

佐藤　しかしそのピノチェト政権が発足した際、日本からは民社党がチリに調査団を派遣し、ピノチェト政権支持を表明しました。

池上　そう、塚本三郎《つかもとさぶろう》代議士がクーデターは「天の声」だったなどとピノチェトを絶賛した。これも驚きましたよね。ちょっと前まで社会党にいた人たちが、選挙で合法的に選ばれた社会主義政権を軍事力で打倒した政権を支持したわけですから。

民社党は数年後の一九七六年一月にも、春日一幸《かすがいっこう》委員長が国会で共産党の戦前のスパイ査問事件を蒸し返す質問を行い、宮本顕治への攻撃を行っています。民社党が「自民党以上に反共的」というカラーを前面に出すようになったのはこの頃からでしたね。

佐藤　民社党の場合、ルーツのひとつである戦前の社会大衆党などは元々ファシズムとの親和性が高く、現代の日本会議的なものとも性質が近いのですけど、それでも社会党から分裂したばかりの頃はそのカラーは抑えられていました。

しかし一九七二年に田中角栄政権が日中国交正常化を実現したのに伴い、台湾との国交を断絶すると、翌七三年にはこれに抗議する中川一郎《なかがわいちろう》や渡辺美智雄《わたなべみちお》、浜田幸一《はまだこういち》、石原慎太郎など自民党内の若手タカ派議員たちが「青嵐会《せいらんかい》」というグループを結成し、奔放な発言で注目を集めました。

民社党が右傾化し、日本のナショナリズムを牽引する機関車のような政党になってしまったのは、この青嵐会などの影響もありそうです。

スト権ストの副産物

池上 話を七〇年代の総評の闘争に戻すと、総評にとっての天王山となったスト権ストにしても、結局スト権を認めさせられなかったことはものすごく大きな痛手になりましたね。

佐藤 そうですね。日本全国の交通機関をほとんど麻痺させられることを実証してみせたことで「総評が本気になれば本当に革命だってやりかねない」という危機感を政権側に抱かせた一方、「このやり方でどれだけ闘ったところで結局勝てなかったじゃないか」という行き詰まり感が出てきました。また労働運動の内部にも「あれはいくらなんでもやり過ぎだったのではないか」という動揺が広がってしまいました。

池上 ここからさらにストが理解されなくなりましたからね。当時の自民党でも三木首相などは条件付きでスト権を与えてもよいという妥協案に傾いていたのに対し、中曾根幹事長をはじめとする右派は「もう少し持ちこたえれば国民の間にストへの反発が広がり、労働運動が大きなダメージを受けるはずだ」と主張して押し切った。そして結果を見れば、実際に右派の目論見どおりになった面がありました。

しかもスト権ストを行ったことで、それまで国鉄のドル箱収入源であった貨物の利用率が下がるという副産物まであった。

佐藤　日本の流通が鉄道輸送主体からトラック輸送主体へと、スト権ストをきっかけに大きく変わりましたからね。

池上　そうなんですよね。七〇年代半ばまで日本の物流は国鉄の貨物に頼りきりで、遠くの場所に荷物を送りたい時は郵便局に小包を出すか、「チッキ」と呼ばれた貨物鉄道を利用した手荷物輸送便を使うしかありませんでした。

だから私がＮＨＫに入局したときも、最初の赴任地である松江に布団などの生活用品を送るためにまず都内の駅まで自分で持っていって、そのまま貨物列車で松江まで運んでもらい、松江駅で受け取ったものです。

それが、スト権ストで貨物鉄道がほぼ全面的にストップした結果、いつストライキがあるかわからない国鉄の貨物で荷物を送るのはリスクが大きいと考える人や企業が増えてきて、だったらトラックで輸送してもらおうという風潮が広まった。

佐藤　それと同時に、この頃にヤマト運輸のような会社が宅配便サービスを始めるなど、非常にサービスが良くなりましたしね。それまでは民間の運送業者に任せるのは不安でしたが、そういうネガティブなイメージが民間運送業から払拭されていったのもこの頃です。

池上　だいたい宅配便、つまり個人が個人宛に出した荷物を送り届けてくれるサービスだって、今ではすっかり当たり前になりましたけれどヤマト運輸が乗り出すまで存在しなかったですからね。

六〇年代までの運送業界では、「集荷・配達に手間がかかる小口荷物より、大口の荷物を一度に運ぶほうが合理的であり、利益も上がる」と思われていました。しかし一九七一年にヤマト運輸（当時は大和運輸）の社長に就任した小倉昌男《おぐらまさお》氏は、小口の荷物のほうが一キロあたりの単価が高いことに着目し、小口貨物をたくさん扱ったほうが確実に儲かると考えた。その戦略のもと、ヤマト運輸が一九七六年に開始したのが「電話一本、小包一個」から集荷し低価格で送り届ける「宅急便」であり、小倉氏はこのサービスに必要な全都道府県に跨った配送網を構築するため、地方での路線免許申請の審査をなかなか進めない旧運輸省に対し行政訴訟も辞さない覚悟で臨みました。

ヤマト運輸の目論見は大いに当たり、ここから運輸業界でトラック輸送が急速に台頭する一方、物流に占める国鉄の貨物輸送の比重は急激に下がり、貨物での減収は国鉄の赤字を増大させました。この赤字問題が結局は国鉄分割民営化の大義名分として喧伝され、国労や動労にとってのアキレス腱にもなっていくわけです。

思い返せば三池闘争にしても、エネルギーが石油に移り変わっていった過渡期にあって切り捨てにあっていた炭鉱労働者たちが起こした抵抗運動であったわけですが、国労や動労の場合は自分たちの運動がひとつのきっかけになって流通革命を招き、それが組織力低下につながっていったというのはなんとも皮肉です。

大量消費社会の到来と労組の衰退

佐藤　労働運動が七〇年代後半から少しずつ衰退していった理由としては、この頃から日本社会が本格的な大量消費社会の時代に入っていったことの影響も大きいでしょうね。労働組合のリクリエーションや、それらを通じての組合組織化よりもシンプルに楽しいことが、ほかにたくさん出てきてしまった。それこそ組合主催のリクリエーションよりも家族や恋人と遊園地やリゾート地に行ったほうが楽しいわけですから。

池上　そうですよね。企業の社員旅行や組合主催の慰安旅行のようなものが成立したのだって、昔は娯楽が少なかったからであって、今の時代の若手社員・組合員にとっては上司や組合の先輩と一緒に温泉に行くなんて苦痛でしかないでしょう。ましてや女子社員に浴衣を着ろだの、カラオケでデュエットしろだのなんて言い出せばハラスメントとして問題になってしまいます。

佐藤　運動会だって昔は会社主催の社内運動会以外に組合の運動会もありましたけど、これだって参加したくない人にとっては苦痛以外の何物でもない。

池上　高度成長期を経て消費文化が成熟した結果、組合運動が時代にそぐわなくなってきた面は確実にあったように思いますね。

佐藤　個人が個人として自立する傾向が強まり、「群れる」ことそのものへの抵抗感も強まりました。これは全共闘運動が内ゲバに明け暮れて終わったことで、「最後に頼れるのは自分だけ」という意識が日本人の中で強まったせいかもしれませんが。

池上　昔はあれだけ順法闘争で頑張っていた日教組でさえ、時代が下るごとに新卒の先生たちが組織に縛られるのを嫌がるようになり、組合に入らなくなっていきましたからね。教育現場にイデオロギーを持ち込むことを嫌って総評から分離した「全日本教職員連盟」（全日教連）や、同盟系の新教職員組合連合（新教組）など反総評系の教職員組合もあったけど、そちらも含めてどこも組織率を低下させていきました。

前章で紹介した教研集会にしても、日教組の組織力が落ちてきた結果、労働組合が独自に開くことができなくなってしまい、今では教育委員会なり学校から業務として命じられて研究した内容を、組合の教研集会で発表するような状態になっているようです。

佐藤　情けない話ですよね。ただ日教組の力がそこまで弱まった一因には、共産党が七〇年代、日教組とのヘゲモニー争いに勝ちたいがために「教師聖職論」を提唱した影響があったと思います。

池上　社会党＝日教組が、「教師もまた労働者である」という観点から教職員の労働時間短縮を主張したのに対して、共産党＝全教（全日本教職員組合）は「教師は聖職である」としてそれに反対したことから始まった論争ですね。前巻でも少し触れましたが、自民党が教職員のストを禁じる口実として持ち出してきた「教師＝聖職者」論に、共産党が同調してしまった。

佐藤　さらに時代が下がりますが、労働運動の衰退に最終的な追い打ちをかけたのが、八〇年代前半にアカデミズムの分野で台頭したポストモダン的な言説でしょうね。

それまで、左派が支配的だったインテリの世界ではソ連などの評価は一様ではなかったにしても、マルクス主義や社会主義体制そのものは「良いもの」であると考えられていました。しかし、浅田彰《あさだあきら》さんの『構造と力』（勁草書房）が一九八三年に刊行されベストセラーになってからは、それすらも怪しくなってしまった。社会主義のような「大きな物語」が終焉した現代では「小さな差異（前進）」こそが大事なのだという、この本が発したメッセージによって、伝統的な左翼思想は、労農派も講座派も関係なくすべて無意味なものに一度はなってしまいました。

江田三郎の追放

佐藤　このように総評主導の労働運動が曲がり角を迎えつつあった七〇年代の後半、総評の支援対象である社会党の内部でも、ある大きなターニングポイントを迎えました。具体的には、七七年に江田三郎《えださぶろう》[13]が追放されたことです。

池上　江田三郎は戦前からの労農派マルクス主義者であると同時に、戦後はいち早く構造改革の影響を受けた当時の社会党右派の重鎮ですね。

左翼用語としての「構造改革」はこれまでにも何度か出てきていますが、ここでもう一度確認しておくと、アントニオ・グラムシをはじめとするイタリア共産党の創設者たちが目指したもので、革命など性急な手段に頼るのではなく、資本主義の構造を少しずつ変えていくことによって社会主義を目指していこうという路線ですね。

マルクスの史的唯物論では、社会の下部構造、つまり生産手段を誰が所有するのかといった問題が政治・法律などの上

江田三郎

13　江田三郎（一九〇七－一九七七）：一九四六年に日本社会党に入党、一九五〇年参議院選挙で当選、一九六三年から衆議院議員。党内では当初左派に属し、一九六〇年書記長となる。一九七〇年代に入ると反共・中道の野党再編論のリーダーとなり、一九七六年「新しい日本を考える会」を結成、一九七七年離党して社会市民連合（社会民主連合の前身）を発足させた。

部構造を規定するのだから、まず下部構造を変えていけば社会主義は実現できると構造主義者たちは考えた。

佐藤　あるいは共産圏でありながらソ連に追従せず独自の道を進んだユーゴスラビアに倣おうとする考え方ですよね。ユーゴスラビア共産主義者同盟は党が労働者に命令するトップダウン型でなく、労働者たちが生産現場で生産手段を自主管理する組織を形成し、それらの自主管理労働組織がボトムアップ式に意思形成することでスターリニズムに陥らない社会主義体制を維持しようとしました。

池上　日本国内でスターリン批判が広がり、ソ連のような官僚主義的な社会主義への忌避感から別の道が模索されていたなかで、イタリア共産党が目指す方向性や、ユーゴスラビアが実践していた自主管理型社会主義は非スターリン的な社会主義への道を指し示しているように見え、関心が集まった。この構造改革路線が日本に輸入された際に、社会党内で特に強い影響を受けたのが江田三郎だったというわけですね。

江田は一九六二年七月二七日、栃木県日光市で開かれた社会党の全国オルグ会議で演説し、社会党が目指すべき社会主義のあり方について次のような考え方を示しました。

〈社会主義は、大衆にわかりやすく、ほがらかなのびのびしたものでなければならない。

私は社会主義の目的は人類の可能性を最大限に花ひらかせることだと思う。人類がこれまで到達した主な成果は、アメリカの平均した生活水準の高さ、ソ連の徹底した社会保障、イギリスの議会制民主主義、日本の平和憲法の四つである。これらを総合調整をして進むときに、大衆と結んだ社会主義が生まれると思う。〉

これが同年一〇月九日号の『エコノミスト』誌（毎日新聞社）に「社会主義の新しいビジョン」として掲載され、いわゆる「江田ビジョン」として知られることになりました。この内容は世間から幅広い支持を集め、江田は国民的な人気さえ博すようになりました。

佐藤　ところが向坂逸郎《さきさかいつろう》を頂点とする社会党の社会主義協会員たちは江田の説いたソフトな社会福祉路線を嫌いました。何しろ社会主義協会が主導権を握ることで採用された当時の社会党の綱領的文書「日本における社会主義への道」では、福祉国家なるものは、〈国民の選択を社会主義におもむかせないために、社会保障や所得配分等の部分的改善を通じて一定の譲歩を行ない、社会的緊張を緩和しながらなお国民の同意を資本主義体制の枠の中に留めておくための、資本の延命策に外ならない〉〈現代資本主義がその体制を維持していくための安全装置でもある〉として否定しているからです。

だから党内の多数派である協会員からの受けは非常に悪く、江田は社会党の委員長選挙に出るたびに敗北していました。
一方で江田の側も、七〇年代に入った頃から次第に革命よりも市民社会論に傾斜していきました。社公民、つまり民社党や公明党と組むことによって、政権交代可能な勢力を形成しようという考え方を持つようになっていったのです。

池上　しかし、当時の社会主義協会は同じ社会主義政党である日本共産党との共闘路線が基本ですからこれも到底受け入れられませんね。

佐藤　ですが江田はその路線になおもこだわりました。社会党の書記長を務めていた一九七六年には、自民党がロッキード事件で揺れたことから「社公民路線」で政権奪取する好機と捉え、公明党の矢野絢也《やのじゅんや》書記長、民社党の佐々木良作《ささきりょうさく》副委員長らと三人で「新しい日本を考える会」を結成します。しかしこれがついに社会主義協会の逆鱗に触れ、「江田のやっていることはもはや反革命だ」「叩き出せ」ということになってしまった。
社会主義協会に選挙で応援してもらえなくなった江田は同年一二月の衆議院議員選挙で落選してしまい、さらに翌七七年二月の第四〇回党大会で協会員たちから吊し上げられました。

池上　この党大会で江田は協会系代議員から徹底的になじられ、江田が反論しようとしても代議員からのヤジで聞こえないほどだったそうですね。

佐藤　これで江田は社会党に絶望し離党しようとするのですが、党は離党届を受け付けず、逆に除名処分にしました。まあ、いじめにいじめ抜いて追い出してしまったわけですよね。

向坂逸郎が江田三郎について書いたエッセイがあるのですが、その内容がなかなか面白いんですよ。むかし江田君が私に柿の木をくれた。その木は時を経て、今は私の庭で立派に育っているのだけど、この木をくれた江田君当人はなぜこうも変わってしまったのか……と嘆いているんです。

池上　社会党を除名された江田は七七年三月、やはり六〇年代に構造改革論を唱えて共産党を離党した安東仁兵衛《あんどうじんべえ》や、婦人運動家・市川房枝《いちかわふさえ》のもとでボランティアとして活動していた菅直人《かんなおと》らと新政党「社会市民連合」（のちに社会民主連合に改組）を結成。同年六月の参院選出馬を目指しますね。しかし、江田自身はこの時点ですでに肺がんにかかっており、公示前の五月二二日に六九歳で亡くなってしまいました。代わりに出馬して当選したのが、当時判事補だった息子の江田五月《さつき》です。五月は一九八五年に社民連の代表に就任するなど長く野党の大物の一人であり続け、非自民連立政権が発足した際には細川護熙《ほそかわもりひろ》内閣や菅直人内閣で何度か閣僚も務めました。

それにしても今から思うと、社会党という党は江田三郎を追放してしまったときに大衆性を一気に失ってしまったような気がしますね。
かつての社会党は、真面目なインテリもいれば、インテリではないかもしれないけど野趣あふれるタイプの人もいて、バリエーション豊かな雑多な党でした。その中でも、党の明るいイメージを一身に背負っていた江田がいなくなったことで、なんとなく暗いというか……。

佐藤　閉鎖的。

池上　そうですね。閉鎖的な、イデオロギー的な政党というイメージが前に出過ぎるようになりました。あれはやっぱり選挙ではマイナスになりますよね。

佐藤　そういう江田三郎の開放性であるとか大衆性に魅力を感じて社会市民連合に参加したのが菅直人ですよね。だから菅直人というのは、マルクス主義的なものに対する関心は最初からなくて、別の方向を向いていた人なわけですよ。

池上　そうなんですよね。よく自民党の議員たちが、菅直人は東工大で学生運動をやっていた云々とまるで新左翼運動でもやっていたかのようにあげつらうのですけど、私は二〇一二年に東工大で教授になり、現代史を教えるようになった時にそれについても調べてみたんです。事実は全然違うんですよ。
学園闘争がピークを迎えていた六〇年代後半の時代、東工大でも全学バリケード・ストライキをやっていたんです。でも当時の菅直人は学部の四年生で、全学ストの影響で卒業研究ができないと訴え、他のノンポリ学生や学生運動に反対する連中を糾合して学生大会を開催し、そこで学生たちの意思統一のもとストライキを解除させるんですよ。それで彼は一躍有名になったわけだけど、だから実際はむしろ「学生運動に反対する運動」をやっていた人です。

社会主義協会パージの始まり

佐藤　しかし江田三郎を追放したことで、今度は社会党や総評の内部に「社会主義協会はやり過ぎだ」という反発、そして「協会をこのままにしておいたら左バネが強くなり過ぎる」という危機感が右派を中心に高まってきました。

池上　特に総評は労働組合であって大衆組織ですし、やっぱり一枚岩ではなかったですからね。同じ総評でも共産党系もあれば、社会主義なんてとんでもないという勢力だってあって、一枚皮を剝がせばゴチャゴチャでした。その中で社会主義協会はあくまで最大派閥というだけでした。

佐藤　そうしたなかで社会主義協会はこれまでは党内の他のグループに対し、理論集団たる自分たちの役割は「釜焚き」なのだと説明していたんです。つまり社会党という風呂釜に対して自分たちは、保守反動的な方向にも、新左翼的なロマン主義にも陥らないよう薪をくべることでお湯の温度を調整する縁の下の力持ち的な役割を果たしているのであり、そうであるがゆえに自分たちは選挙に出るなどの表舞台に出る活動、あるいは自分たちが直接主導権を掌握しての運動はやらないのだ、という意味です。

しかし江田三郎を社会主義協会主導で追放したことが、その説明に説得力を失わせました。社会主義協会が実質的に党内のすべてを操っている「党内に存在するもうひとつの党」であるという不信感を党内の多くの非協会員に抱かせてしまった。あるいは共産党において党中央が民青や傘下の労働組合をフラクション（細胞）化し、それらに指示を与えて操っているのと同じ構図で、これではもはや一種の「闇の組織」だという認識になっていった。

そして実際、社会主義協会にはそう言われても仕方がない側面がありました。たとえば、同盟員の人数だって発表されませんし、協会の誰がどの組合に所属しているなどの情報もよくわからない。

池上　『真説』で佐藤さんが、社会主義協会は民青と比較して簡単には入れない、私生活がだらしなくないか、根気よく学習できるタイプなのかなど個人の特性をよく見極めたうえでないと会員にしてくれないと話していましたが、そのあたりの警戒心の強さというかハードルの高さも、外部には閉鎖性の表れと見られていたかもしれませんね。

佐藤　そうですね。社青同までは入れてもそこからさらに協会員になろうとするとかなり大変でした。そしてそういう特性が、「俺たちは労働運動家の中でも特別なんだ」という、ある種のエリート主義にもつながっていたと思います。

それらに加えて、社会党は結党以来ずっと財政的に厳しいなかで活動していたので、そのなかで選挙でも対価を払うことなく何でもやってくれる協会員を便利に使いすぎていた面もあったと思います。その状態が長く続いた結果、気がつけば、社会党は社会主義協会に事実上乗っ取られているんじゃないかという意識が七〇年代の中頃から非常に強く持たれるようになった。

しかしそれは決して大げさでも被害妄想でもなくて、当時の社会党の実態であったわけです。

「社共」から「社公民」路線への転換

佐藤　こうして社会主義協会への危機感が党内でかつてなく強まった結果、七七年には社会主義協会の機能を本来の理論集団としての役割に規制すべきであるという声が強まり、協会派と反協会派の間で激しい論争が行われるようになりました。この協会パージを主導したのが、当時の全電通委員長である山岸章《やまぎしあきら》[14]です。

池上　山岸氏はのちに日本労働組合総連合会（新「連合」）の初代委員長になる人物ですね。

佐藤　山岸ら反協会派の強い要求により党内には「党改革委員会」が設置され、この委員会での論争は協会派が少数派に押し込められたこともあり反協会派の勝利で終わりました。

そして七七年九月の第四一回大会では、「当面の党改革についての方針」が決定され、この方針によって綱領的文書である「日本における社会主義への道」を将来的に見直すことのほか、派閥の解消、国会議員全員に大会代議員資格を付与することなど、社会主義協会を規制することにつながる重要方針が決定されました。「道」の内容見直しについてはその後も侃々諤々《かんかんがくがく》の論争があり、論争は一九八六年に新綱領「日本社会党の新宣言――愛と知と力による創造」が採択されるまで続きました。

そして一九七八年には、社会主義協会の基本理念を定めた文書である「社会主義協会テーゼ」についても、内容を一部修正し「社会主義協会の提言」と名称変更することが決められました。

池上　社会主義協会は、「社会主義協会テーゼ」と呼ばれる基本理念を独自に定め、ここで平和革命の必然性や反合理化闘争を闘争の基本に置くことなど、革命を実現するための方法論についても定めていたわけですが、この文書に対する批判もあったわけですね。

佐藤　テーゼ＝綱領ですからね。「単なる党内の一グループ、理論集団が独自に綱領など持っているのはおかしい。綱領を持っているということは、党内部にもう一つの党が存在することの証拠だ」という理屈です。

「社会主義協会テーゼ」が「社会主義協会の提言」に変更された後も、書かれている内容そのものが大きく変わったわけではありません。しかしこのあたりから社会主義協会の活動は完全に萎縮してしまいました。

向坂逸郎の甥で、二〇〇二年から二〇一二年まで社会主義協会の代表代行を務めた山﨑《やまざき》耕一郎《こういちろう》[15]さんは、協会パージが進められていた当時も現役の社会主義協会員で社青同の委員長でした。

私は二〇一五年に山﨑さんと対談し、その内容は『マルクスと日本人』（明石書店）という本にまとめられているのですが、この対談で協会パージ当時の社会主義協会の様子も訊いてみたところ、山﨑さんは「いじけた感じ」になっていったと言っていました。

要するに、理論的な活動にしてもオルグ活動にしても、いままでのようにはできないと

14　山岸章（一九二九―二〇一六）：労働運動家。日本労働組合総連合会初代会長、国際郵便電信電話労働組合連盟（PTTI）会長、情報通信産業労働組合連合会委員長、全国電気通信労働組合（全電通）委員長を歴任した。

15　山﨑耕一郎（一九四〇―二〇一七）：社会運動家。一九六九年から一九七四年まで社青同中央本部書記長、一九七四年から一九八〇年まで社青同委員長。

いうことがルールで決められてしまった結果、協会が主体的にできる活動といっても学習会くらいになってしまい、選挙などでもいまひとつ力が入らなくなってしまった。

この協会パージにより、社会党内における社会主義協会の影響力は年々低下していきました。

池上　協会の影響力が低下した後の社会党は、路線をぐっと右に寄せて行きましたね。

佐藤　ええ。社会主義協会は、共産党との仲は悪いし嫌いではあるけれど、同じ社会主義政党である以上は社共の関係を重視していました。全野党が結束するにしても、共産党をのけものにすることはありえないという考えです。

しかし八〇年代になり、完全に右派が主導権を握った社会党では、社会党・公明党・民社党の三党による「社公民」路線による連合政権構想を掲げるようになりました。

だからその頃にはもう、社会主義協会は社会党の路線に対して後ろ向きです。選挙の応援は一応真面目にやるけれど、そうはいっても昔のような馬車馬のように働く意欲はもう湧きません。ですから社会主義協会の弱体化は、結局は社会党そのものの弱体化につながってしまいました。

池上　だから七〇年代という時代は、トータルで見れば野党において右派の力が次第に強まっていった時代でもありましたね。

第四章

「国鉄解体」とソ連崩壊
（一九七九〜一九九二年）

激変する国際情勢に左派は動揺する。
国内でも保守派による大改革が画策される。

《第四章に関する年表》

一九七九年	一二月二四日	ソ連のアフガニスタン侵攻。
一九八〇年	一月一〇日	社会・公明両党、連合政権構想で合意（共産党排除を明記）。
	五月一八日	韓国、民主化要求の運動全国化。光州の民主化運動を武力鎮圧（光州事件）。
一九八二年	二月六日	第四六回社会党大会、馬場昇《ばばのぼる》書記長選出。
	七月三〇日	臨時行政調査会、増税なき財政再建の堅持、国鉄など三公社の分割民営化などの基本答申を鈴木善幸首相に提出。
	七月三一日	第一六回共産党大会、野坂参三中央委員会議長引退、宮本顕治議長選出。
	一一月二七日	中曾根康弘内閣成立。
一九八三年	九月七日	飛鳥田一雄社会党委員長の辞意を受け、石橋政嗣新委員長を選出。
一九八六年	一月二二日	第五〇回社会党大会続開大会開幕、「新宣言」採択（西欧型社会民主主義路線へ転換）。

	八月一五日	新自由クラブ解散、自民党へ復党。
	九月六日	社会党委員長選挙、土井たか子候補が当選（国政史上初の女性党首）。
一九八七年	一月一九日	社会党など四野党・総評など労働五団体、売上税反対で共闘。
	一月二二日	田川誠一《たがわせいいち》、進歩党を結成。
	四月一日	国鉄分割民営化。
一九八八年	六月一八日	リクルート事件発覚。
一九八九年	七月二三日	第一五回参議院議員選挙で国政選挙初の与野党逆転。
	九月一〇日	土井社会党委員長、連合政権を展望した「新しい政治への挑戦」（土井ビジョン）を発表。
	一一月九日	ベルリンの壁崩壊。
	一一月二一日	総評解散、日本労働組合総連合会（新「連合」）発足。
一九九〇年	四月五日	社会党大会、野党連合政権下での日米安保条約、自衛隊の維持の方針などを採択。

一九九〇年	八月二日	イラク軍がクウェートを侵攻・制圧、湾岸危機発生。
	一〇月一六日	国連平和協力法案提出。一一月八日、自社公民四党幹事長・書記長会談で国連平和協力法案の廃案決定。
	一一月二一日	全欧安保協力会議（CSCE）、三四ヵ国が調印。冷戦終結を公式に宣言。
一九九一年	一二月二五日	ゴルバチョフ・ソ連大統領の辞任・ソ連崩壊。

ソ連のアフガニスタン侵攻を支持

佐藤　前章で社会主義協会パージについて触れましたが、社会主義協会自体も七〇年代後半にはかなりバランスがおかしくなっていたのも事実です。それが誰の目にも明らかになったのは、一九七九年一二月二四日にソ連がアフガニスタンに侵攻したときですよね。このときの社会主義協会はソ連を全面支持しましたから。

池上　そうでしたね。共産党はいち早くソ連を非難する声明を出し、社会党も本体はさすがにソ連批判をしたのに対して社会主義協会は支持を表明した。

佐藤　ソ連軍の侵攻は「アフガニスタン人民の要請に応えた兄弟的支援」であるという通常のソ連人でも信じていないドクトリンを、この頃の社会主義協会は本気で信じていました。

さらに言えば、アフガニスタン侵攻前年の一九七八年には向坂逸郎が「週刊ポスト」の企画で、ゲイバー経営者で性的少数者の権利擁護のための運動もしていた東郷健《とうごうけん》と対談し、東郷に向かって「ソヴィエト型の社会主義社会になれば、お前の病気（同性愛）は治ってしまう」という暴言を吐きました。

ジェンダー感覚の古臭さももちろんですが、この対談で「現在の世界で最も理想的な国は東ドイツだ」と語っているのも、この頃の向坂の感覚が現実世界と相当に遊離していたのを感じさせます。

池上　この頃になると、完全にソ連の別動隊のような発言が目立ってきていましたね。

佐藤　昔は社会主義協会の中にも、ソ連だけでなく中国共産党とも良好な関係を築いていくべきだと主張する人がいたのですけど、中ソの関係が悪化してからは完全にソ連側で、一九七八年の日中平和友好条約締結がソ連に敵対するものであると批判キャンペーンを展開しました。

池上　たしかに社会主義協会に向けられる批判には、このグループがソ連に対してあまりに傾倒しているということへの危機感も多分に含まれていたのでしょうね。

佐藤　向坂逸郎がどうしてここまでソ連ベッタリになってしまったかというと、結局はソ連を後ろ盾とした形での革命が現実的だと考えるようになったからだと思います。

共産党の「敵の出方論」のような、武力行使も辞さない革命を標榜したところで権力側との現実の兵力差を考えればあっという間に鎮圧されてしまう以上、ソ連の軍事力を背景に日本の議会で多数派を形成し、無血で社会主義革命を実行するしかない。そこから逆算した親ソ路線だったのだと思います。もっともこれも、明確なシミュレーションを行ったのではなく無意識のうちにソ連や東ドイツを理想社会とみなすようになったのだと思います。

池上　あるいは、当初は革命を成し遂げるための「戦略」としての親ソ路線だったのが、時間が経つなかで自分たちが最初に考えていた以上のリアルな信念に変化していった面もあるのかもしれませんね。

佐藤　だから社会主義協会の場合、ある意味では日本共産党よりも直線的に社会主義革命を目指していたわけですけれど、それはあくまでもソ連に依存したものであって、これは実は社会主義協会のルーツである労農派マルクス主義の本来のありかたとも違っていました。労農派マルクス主義の特徴のひとつは、もともとソ連に対して一線を画す、という点にもありましたから。

つまり社会主義協会の構想は本来の自分たちのアイデンティティとも異なるところに築かれたものであり、だからこそ最終的には破産してしまった。突き放してみるとそういうことになるのだと思います。

国鉄民営化の隠された狙い

佐藤　協会パージが最終的に引き起こしたのは、中曾根政権の行政改革、すなわち国鉄と電電公社、専売公社の三公社を一九八五年から立て続けに民営化したことでした。そしてその一連の行革のなかでも、中曾根政権が本丸と位置づけていたのが八七年に行った国鉄の分割民営化でした。

池上　国鉄を民営化すれば、八五年時点で一八万人以上の組合員を抱える日本最大の労働組合であった国労の力を削《そ》ぐことができ、総評は弱体化し社会党も弱体化する。日本の左翼勢力は総崩れになる。こういうと若い読者は私たちが急に陰謀論を話し始めたと面食らうかもしれませんが、中曾根が最初からそれを狙っていたことは、後年彼自身が様々なインタビューなどで証言しています。

佐藤　中曾根が目論んでいたのは、大きな意味では日本を社会主義革命から遠ざけるということですよね。そして、今から振り返れば実際に国労を切り崩した結果、社会党と日本の左翼は崩壊過程を辿っていった。あくまで右派の視点から見ればですが、要である国労から切り崩しを図った中曾根には先見の明と長期的な視点があった、ということになります。

そもそも中曾根という人は右派的な意味での改革者であり、ある意味では「右翼革命」をやろうとしていた人でもあるわけですよね。そういう中曾根であればこそ、革命の怖さというものを自分自身よくわかっていたのではないかと思います。

「赤字の元凶」と名指しされた国労

池上　三公社の民営化は鈴木《すずき》善幸《ぜんこう》内閣時代の一九八一年に内閣の諮問機関として発足し

た第二次臨時行政調査会――石川島播磨重工業や東芝の社長・会長や経団連会長を歴任した土《ど》光《こう》敏《とし》夫《お》が会長を務めたことから通称「土光臨調」と呼ばれます――が翌八二年の基本答申で提言し、鈴木内閣はこれを閣議決定。それを後継の中曽根内閣が実行していったという流れです。

これを断行するうえでの最大の大義名分になったのは国鉄の赤字問題でした。国鉄の累積債務が三七兆一〇〇〇億円（分割民営化時点）というとんでもない額に上った結果、こんな放漫経営はもはや許されない、国鉄は「親方日の丸」から脱却し、民間の合理的な経営に委ねられなければいけないという理屈立てをしていきました。

対する労働組合側は、民社党系の鉄労は民営化に全面的に賛成。総評系では動労は当初反対するものの、後述するように組織防衛の観点から賛成に回り、国労だけがサービス低下を理由に最初から最後まで「民営化反対」を訴えました。

しかしこの主張は、当時のマスメディアが国鉄職員たちのモラル低下の実態を大々的に報じたことで、国民には理解されませんでした。

そうした報道は読売新聞が一九八一年一二月一二日付朝刊で、土光臨調に提出された国鉄の「職場管理監査結果」の内容を「国鉄労使　悪慣行の実態　要改善１７９職場も」「『突発休』多く支障」という見出しをつけて報じたことに始まり、さらには朝日新聞も翌一九八二年一月二三日付朝刊で、「赤字国鉄がヤミ手当」というスクープを打ったことで過熱しました。

国鉄・東京機関区の機関車検査係が運転検査のため搭乗することになっていたブルートレインに乗務せず、過去十年以上にわたり年間千数百万円のカラ出張のヤミ手当を受け取っており、同様の不正事例は全国で年間一億円に上る可能性があると報じたこの記事以降、朝日は五月の一五日までに国鉄の「ヤミ手当」や「カラ勤務」に関する記事を一五回も掲載。ここから他の新聞や雑誌も、国鉄職員たちのモラルに欠けた勤務実態を競うようにして報じました。そのなかには、国労を名指しして批判したものも少なくありませんでした。

そうしたなかで八二年三月には、名古屋駅で運転士が飲酒しながら勤務について居眠り運転をし、寝台特急「紀伊」に追突する事故が発生。これが国鉄批判への追い打ちになりました。

佐藤　実際、組合が強くなっていくと逸脱部分も必ず出てきますからね。国労でも、「仕事はさぼればさぼるほど革命が近づく」などと嘯《うそぶ》く者がいました。

また労使交渉を本社だけでなく職場単位でも行う「現場協議」はもともとマル生反対闘争の成果として実現したものですが、これも末期には、組合側が職制（一般企業の管理職に相当）に対して「靴下の臭いを嗅げ」などと恫喝するような、単なる嫌がらせの場へと堕落としてしまいました。

動労が民営化賛成に回った経緯

池上　そうしたなか、先ほども述べたように動労が比較的早い段階で民営化賛成の立場に回ったことは当時の左派にとって衝撃でした。国鉄民営化を目前に控えた八六年七月には総評の第七五回定期大会が開催されますが、ここでは動労の民営化対応に批判が殺到し、この大会後に動労は総評を脱退します。

佐藤　動労の本質は結局のところ「職能組合」というところにあるんですよね。

列車の運転は、特に蒸気機関車だった時代はボイラーの焚き方などで非常に技術的に熟練を要する業務だったため、国鉄職員の中でも運転士の業務は先輩、後輩の上下関係が格段に厳しい特殊な世界でした。動労はそういう運転士の集まりである職能集団として発足した組合であったことから、国鉄の組合の中でも団結の固さは際立っていました。

ただそういう彼らからすると、中曾根や後藤田《ごとうだ》正晴《まさはる》官房長官ら権力側が本気で国鉄に対する殲滅《せんめつ》戦を挑んできている状況で、職能集団としての自分たちが生き残りを図るにはどうすればいいか、逆に真剣に考えざるを得なかったのではないかと思います。

池上　八六年四月時点で、国鉄には約二七万七〇〇〇人の職員がいたのに対し、民営化後に設立される新会社では人件費カットのために一八万三〇〇〇人しか雇用しない方針が定まっていましたからね。民営化に反対した組合の組合員が新会社に採用されない「余剰人員」にされるのは火を見るより明らかでした。

実際に後にJRに採用されたのは二〇万人にとどまり、希望退職に応じず、余剰人員の再就職促進のために設立された「国鉄清算事業団」に送られた約七〇〇〇人の内訳を見ると大半が国労の組合員でした。

佐藤　動労の松崎明としては組合員たちに権力側への総攻撃を命じることもできたけど、その結果敗れたら組織は、組合員たちの生活は一体どういうことになるのかを考えざるを得なかったし、総員玉砕するよりは、組織を温存するほうがマシだと考えたのではないでしょうか。

池上　民営化に最後まで反対した国労では雇用不安に駆られた組合員が次々と脱退するようになり、かつて一八万人以上いた組合員数は民営化が実行された時点で四万四〇〇〇人まで減っていました。脱退者の中で、「真国鉄労働組合」（真国労）を結成して国労から分離し現在もJRにいるグループは、国労内部に元々いた革マル派系だったと言われています。そうやって組織温存を図ったわけですね。

一方で動労は民営化後、鉄労などと合流して「全日本鉄道労働組合総連合会」（のちのJ

R総連）を結成。このJR総連がJRにおける最大の労組となり現在に至っています。

国鉄民営化が実行された二年半後の一九八九年一一月には総評と同盟が合流し、新たなナショナルセンター「日本労働組合総連合会」（新「連合」）が結成されます。同盟との合流は当然ながら左派が猛反対しましたが、国労の力が弱まった総評では全電通など右派系組合の力が相対的に強まっており、彼らが唱える「小さなナショナルセンターが別個に活動したところで政治への影響力は持ち得ない」という多数派意見によって斥《しりぞ》けられました。

佐藤　総評のなかでも全電通は元から同盟と近い関係でしたからね。しかし合流後は総評系の存在感が年々薄れていき、今では連合全体が旧同盟の労使協調路線にまとめあげられてしまいました。これも社会主義協会が弱体化したことの影響が間違いなくあるでしょうね。

現在の連合にあって、旧総評系の単産で大きなところといえば官公労（日本官公庁労働組合協議会）がありますが、労働組合が労働運動に専念しているだけでは理論の構築はできません。理論のない労働運動は最後には埋没してしまいます。

ソ連崩壊と冷戦の終結

池上　そして国鉄民営化後の一九八八年から一九九一年にかけて、ついにソビエト連邦の崩壊が始まります。

佐藤　一九八九年のベルリンの壁崩壊を経て一九九一年にソ連が崩壊したことにより、社会主義協会も社会党も結局バックボーンとなるものを失ってしまったわけであり、バックボーンをもたなくなった党がその後に低迷したのは、ある意味では必然でした。

池上　社会党に関して言えばソ連は間違いなくバックボーンでしたので、ソ連が消滅したのを境に衰退していったのは理にかなっているのですけど、一方で不思議なのは、日本の左翼にはソ連に対して批判的だった勢力が決して少なくなかったにもかかわらず、彼らまでがソ連が崩壊した途端になんとなく力を失っていったことです。

大学でも、ソ連崩壊前にはマルクス経済学が全国の相当に多くの大学の経済学部で教えられていたのが、少なくとも表面上は消えてしまいました。

佐藤　「社会経済学」に講座名が変わったりしましたね。

池上　そう。あるいはマルクス経済学を教えていた講座が、経済史を教える講座になってしまったこともありましたし、そうでなければ近代経済学を「経済学」、マルクス経済学を「経済原論」など、それぞれ別の講座名に変えたところもありました。

これは考えてみればかなり不可解なことですよ。「ソ連の体制はマルクス主義のそれではない」と言っていた人たちは新左翼でなくてもかなりいたはずなのに、実際にソ連が倒れるとなんとなく「社会主義なんてダメだ」「マルクスもダメだ」というようなムードがワーッと広がってしまった。その後、二一世紀に入って格差が広がったことによって再び資本論が再評価される時代も来るのだけど、一時は本当に、ものの見事に日本のアカデミズムからマルクスの影は消えてしまいました。

佐藤　そうですね。それに関してはやはり、黒田寛一の指摘が鋭かったと思うんですよ。黒田は『スターリン批判以後』（こぶし書房）で、日本のスターリン批判の問題は政治家としてのスターリン批判に限られていることにあり、それはすなわち、元々はスターリン派であったフルシチョフの影響の枠内でスターリン批判をしているに過ぎないのだと喝破しました。

スターリンは単に政治家だったというわけではなく、共産主義世界においては哲学者でも経済学者でもあり、言語学者でもあるなど、知の全体系に関してヘゲモニーを握っていた。しかし政治の面に限定された現在のスターリン批判はそこまで捉えきれていないゆえに、批判者もスターリニズムを継承してしまっている。だから脱構築しないといけないのだ、というのが黒田の思想の核心でした。黒田が率いた革マル派が現実の運動のなかでどれだけできているかは別にして、その問題設定自体は極めて正確でした。

だからソ連にしても、フルシチョフ以降はスターリンの名前に言及しないスターリン主義体制に過ぎなかったし、その看板を替えただけのスターリン主義体制が倒れてしまえば、結局は根本から崩れるしかありませんでした。

たとえばひと昔前までの教科書だと、歴史というものは原始共産制から奴隷制、次いで封建社会を経て、その後に資本主義社会が来ると書いてありました。もちろん「最後に共産主義に至る」とまではさすがに書いていないのだけれど、この歴史観なんて完全にエンゲルスからスターリンに継承された唯物史観ですよね。こんなのは日本の実証的な歴史と照らし合わせれば全然実態にそぐわないことは明白なのに、みんながそのフレームで考えていたからこんな記述が教科書に載っていたわけです。

だからソ連がなくなったということはすなわち、スターリニズムの脱構築に失敗した日本の左翼全般が、思考のフレームをなくしてしまったということと同義でもあったんです。

そもそもマルクスはものすごく多義的な解釈ができる思想家で、「これがマルクス主義だ」などと言えるような体系立った思想家ではないのに対して、スターリンは非常にわかりやすくて多義的な解釈など許しません。しかしそこにこそスターリニズムの強さがあり、日本の左翼はほとんどがその強さの前に呑み込まれていた。結局はそうだったのだと思います。

池上　それに関連して言えば、世界初の社会主義国であるソ連、あるいはそのソ連を生み出したロシア文化一般に対する漠然とした憧れは、かつての日本にはもしかしたらイデオロギーを超えて存在したかもしれませんね。たとえば私が学生だった時代のもうちょっと前、一九六〇年代ぐらいだと、歌声喫茶と呼ばれる場所があって、当時の若者たちが集まってはロシア民謡を歌うという文化がありました。

ドストエフスキーやトルストイに代表されるロシア文学の影響もあって、ロシア語を学ぶ人はマルクス主義者に限らず多かった。ソ連・ロシアという国に「知の体系」のようなイメージを抱いていた日本人は決して少なくなかったように思います。

佐藤　そうなんですよね。だから近代ロシア史の研究者である和田春樹《わだはるき》先生は、日本におけるロシアの受容のされ方は常に二面性があったと言っています。ひとつは文学者や左派インテリたちにとっての「先生としてのロシア」であり、もうひとつは安全保障上の「敵としてのロシア」。「先生としてのロシア」の部分は、トルストイやツルゲーネフを翻訳して紹介した二葉亭四迷《ふたばていしめい》などの時代には社会主義と結びついていませんでしたが、ロシア革命後は社会主義と結びつきながらずっと日本で生きてきた。

池上　ただソ連が崩壊した時に、スターリン死後も国内で様々な悪政が行われてきたことを知って多くの人たちは幻滅し、それを機にロシア語を学びたがる人が日本では激減してしまいました。二〇二二年二月のロシアによるウクライナ侵攻はこの傾向へのダメ押しになってしまう気がします。本当はこういう時だからこそ、ロシア語を使いこなせる人を養成していかなければいけないはずなんですけどね。
これと同じことが尖閣《せんかく》諸島や竹島《たけしま》の領有権問題で中国や韓国との関係が悪化した時にもあり、中国語、韓国語を学ぶ人はこの時期激減しました。でもそれは長い目で見て決していいことじゃありません。

佐藤 私が学生だった一九八〇年前後だと朝鮮語、韓国語を大学の正規科目として学ぶことはまだほとんど不可能で、ようやく朝鮮総連系の民間講座が少しずつ出始めた頃なのですが、あの頃に在日朝鮮人たちからよく言われたのが、「日本人で朝鮮語を喋れるという人に会うとぞっとする」という話です。なぜかというと日本人の朝鮮語話者のほとんどが公安警察か公安調査庁の人だからだというんですね。
この二つの役所は、あの当時にしては朝鮮語を喋れる人をたくさん養成していたわけですが、今後はロシア語もそうなるのでしょうね。つまり公安警察や公安調査庁、あるいは内閣情報調査室などで、日本にとっての脅威だからという理由で職員たちにロシア語を勉強させる。しかし民間で学ぶ人はほとんどいないという時代になっていくのだと思います。

冷戦終結前夜の社会党

池上 ベルリンの壁崩壊、ソ連崩壊による冷戦終結の影響が決定的ではあったにせよ、社会党への支持はその前からかなり落ちていましたよね。

佐藤　社会主義協会をパージした結果、手足も頭脳も機能しなくなり、もはや党としてやっていくのが困難なくらいに内部がガタガタになっていましたからね。だから一九八六年一月に「日本における社会主義への道」を「歴史的文書」という位置づけにして葬り去り、「日本社会党の新宣言」（正式名称「日本社会党の新宣言——愛と知と力による創造」）を新たな綱領として採用した。

池上　社会党はこの綱領を採用することで、それまで目指していた平和革命を通じた社会主義建設を否定し、社会主義とは、すべての人間がもっている、「人間らしい暮らしを営む権利」の実現であり、「この人間解放をめざして一歩一歩改革を進め、社会の質的変革を実現していくこと」だと定義しました。ここからかつて江田三郎が主張していたようなソフトな社会民主主義の路線と、憲法九条を守る護憲と平和の党というイメージを前面に打ち出すようになりました。

佐藤　要するにもはや革命政党ではありません、ということですよね。でもこうなったことで、従来の革命政党としての社会党を支持していた人たちは、離れていってしまいました。

しかもこの「平和と社会民主主義」路線にしても、実のところ当時の自民党は土建政治を通じての再分配には力を入れていて、なおかつ国際協調路線だったから、自民党との差異化は難しかった。差異化できるポイントを強いて挙げれば「大企業べったりではない」、あるいは「腐敗が少ない」ぐらいでした。

池上　戦後の社会党は何度国政選挙をしても過半数の議席を占めるには至らず、いつの間にか自民党の憲法改正の発議を阻止するには十分な「三分の一政党」の地位に安住するようになってしまっていました。この路線変更はその状態から脱却しようとしてやったのでしょうけどね。

佐藤　しかし執行部の思いとは裏腹に、社会党はその年七月に行われた衆参同日選挙で惨敗しました。

結局のところ社会党とは、東西冷戦体制の東側の勢力を日本において代表する政党でした。その政党が西側の政党のように振る舞い始めた結果、手放すべきでなかった本来の基盤まで失ってしまったということだと思います。

ですから結局、東西冷戦と運命をともにした政党だったということです。私は一九八六年の夏に外務省の命令で日本を離れてしまったので、この頃の日本の国内政治の状況をリアルタイムでは経験していませんけれど、ソ連が弱ってくるにしたがって、社会党もまた弱くなっていったのは間違いありません。

池上　ソ連の弱体化、ということに関して言えば、やはり一九七九年にソ連がアフガニスタンに侵攻し、日本を含む西側諸国がそれに抗議して翌年のモスクワ五輪をボイコットしたあたりから、一般の人たちのソ連に抱くイメージが急激に悪化していった印象がありますね。

あるいは日本人の乗客も乗っていた大韓航空の旅客機が、ソ連の領空を侵犯したためにソ連空軍によって撃墜され、二六九人の乗員・乗客が全員死亡した一九八三年九月の「大韓航空機撃墜事件」。私は当時この事件を取材するためにソウルまで行きました。当時は大韓航空機が、ソ連空軍の命令でひとまずサハリンに強制着陸させられたという誤報が流れたので、だったら乗客もそのうち解放されてソウルに戻ってくるだろうということで、乗客たちへのインタビューをする予定だったんです。しかしソウルに着いてみたら、着陸などしておらず最初の時点で撃墜されていたことがわかった。この事件もソ連のイメージ悪化に拍車をかけたと思います。

佐藤　それまで情報がまったくなかった北朝鮮についても一九八〇年代に入った頃から、金日成《キムイルソン》国家主席が権力を息子である金正日《キムジョンイル》に世襲させる動きがあることがわかり、どうもおかしいとみんなが思い始めた。「金日成主義」という言葉もこの頃に出てきました。マルクス主義を北朝鮮独自の事情に適用する「主体《チュチェ》思想」ならばともかく、金日成の個人崇拝でしかない「金日成主義」とは一体何事だというわけで、日本国内でも北朝鮮の体制に対する懐疑が広まっていきました。

池上　すると、そういう国をずっと支持していた日本社会党に対しても、「この党は本当はどういう党なんだろう？」「日本を一体どこへ持っていくつもりなのだろう？」という一般国民の不信の念が強まりましたね。

日本を取り巻く国際情勢が不安定になったことは、社会党がずっと提唱してきた「非武装中立」論をも、少しずつ共感しにくいものにしていったという印象があります。

あるいは、災害が起きるたびに自衛隊が派遣され、被災者の救助にあたっている場面がテレビのニュースで流されたことも、「社会党は自衛隊は違憲なので解体すると言っているけれど、じゃあ〝何か〟があった時に自衛隊がいなければどうするんだ？」という世論に影響したかもしれません。

土井たか子という尊皇家

池上　そうした苦しい状況で、先ほど佐藤さんが述べたように一九八六年七月の衆参同日選挙で社会党は惨敗しました。これで石橋政嗣《いしばしまさし》[16]委員長が引責辞任し、九月には土井《どい》たか子《こ》[17]さんが副委員長から昇格する形で委員長になりました。

当時は日本のメディアの一部に土井さんのことを「日本のサッチャー」と言う人たちがいて、「いや、新自由主義者のサッチャーと社会民主主義者の土井では百八十度違うだろ」と思ったものですが、とはいえ当時のジェンダー格差が凄まじかった日本にあって、野党第一党のリーダーに女性がついたことで、「これで日本の政治も少し変わるかもしれない」という期待を抱いた人が多かったのも事実でしょうね。

佐藤　ご存じのように土井さんという人はもともと憲法学者なのですけど、彼女の同志社大学法学部時代の指導教授だった田畑忍《たばたしのぶ》と同じく、大変な尊皇家でもあるんですよね。土井さんの元政策秘書だった五島《ごとう》昌子《まさこ》さんから以前聞いたのですが、土井さんは衆議院議長を務めていた頃、議長として宮中行事に呼ばれるのが嬉しくて仕方ない様子だったそうです。あまりに嬉しそうなので周囲

土井たか子

16　石橋政嗣（一九二四―二〇一九）：政治家。一九五五年の総選挙で左派社会党から当選、以後連続当選。一九七〇年から七年間書記長として成田知巳委員長とコンビを組む。一九八三年に第九代委員長に就任、社会党初の労組出身の委員長となる。

17　土井たか子（一九二八―二〇一四）：政治家。一九六九年の総選挙で社会党から当選、以後衆議院に連続当選。石橋政嗣執行部の副委員長を経て、第一〇代社会党委員長に就任。大政党初の女性党首となったが、一九九一年の統一地方選挙で敗れ、委員長を辞任。一九九三年に憲政史上初めて女性として衆議院議長に選出された。

が咎めても、「だったら私、田畑先生に相談する」と電話をかけ、「田畑先生が全く問題ないとおっしゃっていたので行きます」と宣言し、いそいそと出かけていったといいます。

あと私は土井さんと昔、「週刊金曜日」(二〇〇八年一〇月三一日号)で対談したことがあるんですが、この対談で初めて知ったことが二つありました。ひとつは彼女の憲法観。あの時に土井さんは、「自分の言う護憲を世間は誤解している。自分にとっての護憲とは、『日本国と日本国民統合の象徴』という天皇の地位や国事行為について定めた一条から八条までの条文も含めた全条文を堅持することであって、憲法のある部分は強く解釈して、別の条文は弱く解釈するというのでは通用しません」と明言していました。

また彼女は八月革命説をとらないと言うんですね。

池上 ポツダム宣言を受諾した一九四五年八月に日本に革命が起こったとする、憲法学者の宮沢俊義《みやざわとしよし》が提唱した説ですね。日本国の主権者は日本国憲法が制定されたときに天皇から国民に移行した。主権の所在が変わった以上、それは革命と解すべきなのだという。

佐藤 しかし土井さんはその説をとらないというんです。現行憲法は国会で改正手続きを経て制定されているので欽定憲法であり、現行憲法と大日本帝国憲法は連続しているという認識だというのです。

あと、「どうして政治家になったのか」と訊いたら、ジョン・フォード監督の『若き日のリンカン』を観て政治って素晴らしいと思ったからだと言っていました。

池上 ヘンリー・フォンダがエイブラハム・リンカーンの青年時代を演じた映画ですね。たしかに名作ですけど、社会主義とはあまり関係ない。

佐藤 だから、楢崎弥之助《ならざきやのすけ》や横路孝弘などの、社会党の中の言ってみれば反マルクス主義的な系譜に土井さんも実は属していたということなんです。ただ、そういう土井さんが当時の社会党でトップまで上りつめたのは、党内、あるいは党の周辺にあってそれだけ多くの人たちが労農派マルクス主義にうんざりしていたことの表れでもありました。

不徹底だった社会党の社民主義

池上 「社会主義を掲げる革命政党か、それとも社会民主主義の政党でいくのか」という左右の対立を長らく抱えてきたこの党が、八〇年代半ばついに大きく右旋回して社会民主主義の旗を鮮明にし、さらに九〇年代、村山富市《むらやまとみいち》委員長時代には党名も「社会民主党」に変えてしまったわけですね。

ただ、この党の場合、社会民主主義を標榜していても本当に自分たちの主義を徹底できていたのか、という疑問もあります。というのは、社会民主主義体制を国際的に見れば、社会保障を充実させるために消費税、向こうの言い方で言えば付加価値税の税率を高くすることで高福祉を実現するという体制ですよね。だから、ヨーロッパの社会民主主義政党の場合、高福祉の「大きな政府」路線をとる以上は付加価値税の税率が高いのは当然と考えています。

佐藤 「高負担&高福祉」なんですよね。ところが社会党の主張は、「低負担&高福祉」でしたから。

池上 そうなんですよね。消費税導入が争点になった一九八九年七月の参院選では、「ダメなものはダメ」と猛反対したことで自民党を上回る四六議席を獲得し大躍進を果たしました。しかし消費税に頼ることなく高福祉を実現していくための財源をどこに求めるべきだと考えていたのか、当時の社会党に明確な答えがあったとは正直思えません。

佐藤 だから、一種のモラルハザードを起こしているとしか思えないわけですよね。当時も今も、大企業や金持ちから多く税金を取れば消費税は要らないと彼らは言うのだけど、それは資本主義システムを選択している以上は通用する話ではありません。その意味でも、社会党にはもう理論がありませんでした。

池上 まさに、ブームでしかなかったですね。反消費税と、リクルート事件への批判を追い風に闘った八九年の選挙では改選第一党に躍り出たけれど、その後が続かなかった。

佐藤 当時はモスクワにいても、自民党政治に対する国民の不満が極限まで来ていて、これはもしかしたら政権交代が起きるんじゃないかという雰囲気を東京からの報告を読んでいて感じましたよ。でも、次の衆議院選挙では自民党があっさり盛り返したので、結局は一過性のものでしかなかった。

共産党の生き残り術

池上　その後については前々巻でも触れているので細かく立ち入るのは避けますが、冷戦終結後の一九九三年七月に行われた衆議院選挙では、日本新党や新党さきがけ、新生党など、もともと自民党の議員だった政治家たちが立ち上げた保守新党がブームとなった一方、社会党は埋没し議席を半減させてしまいました。

　選挙後に発足した非自民連立政権には社会党も野党第一党として参加したものの、新生党・小沢一郎《おざわいちろう》幹事長との軋轢《あつれき》から八ヵ月後に連立を離脱。そして与党復帰を待ち望んでいた自民党の呼びかけに応じて、新党さきがけも含めた三党連立政権を九四年六月に組むことになり、当時の委員長だった村山富市さんが総理大臣に就任しました。片山哲《かたやまてつ》内閣以来四七年ぶりとなる社会党出身の首相でした。

　しかし国会の所信表明演説では、安保条約を「容認する」とでも言っておけばまだ言い訳が立ったものを「堅持する」と言ってしまったことで社会党は信頼を完全に失ってしまいました。

佐藤　連立相手である自民党の三分の一の議席しか持っていなかった社会党が総理を出した結果、こうなってしまった。政治の世界で「小が大を呑む」ことはあり得ないという教訓ですよね。

池上　総理を出したからと昔からの方針をあっさり放棄してしまったことに絶望した支持者たちが一斉に離れた結果、社会党はマーケットを失ってしまいました。一方で共産党は、社会党が失ったマーケットの少なくとも一部を引き継ぐことで冷戦後も生き残りました。

佐藤　社会党が持っていたマーケットのある程度を引き継いだのは間違いありません。ただ、共産党が一九九一年以降も生き残れたのは、もはやマルクス主義と関係ない別の生態系への生まれ変わりを遂げたからでもあります。

『共産党宣言』でマルクスとエンゲルスが謳ったように、プロレタリアートは祖国を持ちません。資本主義を倒し、共産主義社会を実現するには、全世界のプロレタリアが国境を越えて団結して戦う必要があるからです。

しかし日本共産党はプロレタリアートの党でありながら「愛国の党」に衣替えし、むしろナショナリズムを煽り立ててきました。その根本的な理由は、前巻でも言ったように、社会主義革命を起こすより先に、日本がアメリカからの真の独立を勝ち取ることが彼らの考える二段階革命の第一段階であると六一年綱領で位置づけたから。そしてこの民主革命に勝利するには、労働者階級が国境を越えて結びつくよりも、資本家階級も含めた日本人が民族的に団結したほうが早道であるからです。

池上　よく尖閣諸島や竹島などの領土問題で、共産党が自民党以上に中韓に強硬な抗議をするので不思議がる人がいますが、そう説明されると、少なくとも共産党の中では首尾一貫していることがわかりますね。

佐藤　しかも北方領土問題では、共産党を除くすべての与野党が、ロシアに対して歯舞《はぼまい》群島、色丹《しこたん》島、国後《くなしり》島、択捉《えとろふ》島からなる北方四島の返還を要求しているのに対し、共産党はそもそも四島による北方領土という概念を認めず、国後島、択捉島は千島《ちしま》列島の一部であるとしたうえで、歯舞群島からシュムシュ島までの千島列島二二島の返還をロシアに要求すべきであると主張しているんです。

戦前の共産党指導者であった佐野学《さのまなぶ》と鍋山貞親《なべやまさだちか》は一九三三年に「共同被告同志に告ぐる書」という転向声明を獄中から出し、コミンテルンを否定して天皇制下での「一国社会主義」を実現すべきだと唱えたことがありますが、戦後の共産党もそれと同じで、結局は日本という特殊なモデルのなかで生き残った。だからその意味においては、日本が特殊な国であると考えた講座派の思想は今なお生きているんです。

組織防衛こそが最重要課題

佐藤　あと共産党の「七十年党史」や「八十年党史」を読むととてもよくわかるのですが、彼らはソ連の終わりが近いことについては、自民党・社会党よりも早い段階で気づいていました。ゴルバチョフが一九八五年に書記長に就任し、ペレストロイカを打ち出すようになった時点で、これは社会主義から離脱するつもりだと本能的に察知していたようです。

対照的に社会党は社会主義協会も含めて、ソ連はペレストロイカによって民主的な政治体制へと刷新され、本来あるべき社会主義の国に戻っていくはずだという甘い見通しを持っていました。それだけに一九九一年八月にゴルバチョフの側近たちがクーデターを起こそうとして失敗したあたりからは、もはや時代の流れに完全についていけなくなっていました。

池上　その辺のアンテナは共産党のほうが鋭かったというわけですか。

佐藤　そうです。それができたのは、日本共産党が常に「組織防衛」という観点から物事を考える習性があるからですが、それは同時に共産党の革命に対する「距離感」の問題でもあります。

社会党―社会主義協会の場合は、あるいは新左翼のロマン主義者たちもそうですが、日本は高度に発展した資本主義国なのだから、自分たちの世代で革命は起きるぐらいの感覚を持っていました。

それに対して共産党は、一〇〇年、あるいは二〇〇年経っても起きないかもしれないくらいの距離感で革命というものを捉えてきました。なにしろ彼らの想定では、まずアメリカ帝国主義を打倒し真の民族独立を達成するという手順を踏まなければ社会主義革命は実現できないわけで、その行程をクリアするだけで数十年単位の時間はどうしたってかかる。すると当面重要なのは、革命を実現するかもしれない次世代なり次々世代のために、今ある組織を生き残らせておくこと、という結論に必然的になります。

だからその意味において日本共産党はカトリック的なんですよ。カトリックの場合、最後の審判の日にキリストが再臨して裁きと救済を与えてくれるという聖書の預言はみな信じているけれど、しかしいつ再臨するのかは誰にもわからない。だったら復活の時に備えてまず教会を強化しておかなければいけない、と考える。だからカトリックは組織が強いんです。他方プロテスタントの一部教派では信徒たちが「すぐにイエスに再臨してほしい」と考え再臨待望運動を起こした例もありますが、こうした運動の場合、期待どおり再臨してくれなかったということで信徒たちが失望して終わるのが常です。

池上　ただ選挙の時に共産党の選挙運動を横目で見ていると、党員たちの高齢化はかなり進んでいますよね。

佐藤　でも、現代において二七万もの人が結束して自発的に集まり、資金も出し合って活動している結社というと、創価学会をのぞけば他にないですからね。

革マル派や中核派、あるいはオウム真理教のような結社はどんなに頑張っても数千人どまりで、自衛隊だって二三万人しかいません。自衛隊を超えて、警察や一般職の国家公務員と同じくらいの人数が共産党員だけでいるわけですから、この組織力はやはり破格ですよ。

池上　なるほど。そういう見方はできるかもしれませんね。

佐藤　そうやって日本共産党はソ連崩壊後に組織保全、拡張をひたすら頑張ってきたおかげで生き残りには成功したものの、そうすると今度は、革命が重荷になってきてしまったというのが現在の彼らの本音だと思います。しかし革命という看板を外すこともできない。そこで彼らはいま苦労しているわけですよ。

終章

ポスト冷戦時代の左翼（一九九〇年代～二〇二二年）

ポストモダンの時代に入り、急速に存在感を失った左翼。
「新たな運動」は左派の希望へとつながるのか？

曖昧化した左翼の「要件」

池上　ここまで、社会党・社会主義協会・総評が労働運動の盛り上がりとともに一九七〇年代半ばにはいよいよ社会主義革命が近いと感じられるほどに興隆しながら、本質的にソ連と運命共同体であったがゆえに冷戦以降を生き残れなかったという過程、そしてもう一つの左翼政党である共産党が、佐藤さんが言うところの別の生態系として生き残った理由を見てきました。戦後の左翼史としてはこの両党が冷戦の終結によって大きく明暗を分けるまでが一つの大きな区切りということになりますが、最後の章では現代、つまり二〇二二年現在までの左翼がどういう状況にあるのか考えてみたいと思います。

さきほども言ったようにアカデミズムの場では、「マルクス経済学」を正面切って教える経済学部の講座が各大学から激減し、その状況は今でも続いています。ただ私の母校である慶應義塾大学では延近充《のぶちかみつる》さんが二〇一八年三月まで「マルクス経済学Ｉ」および「マルクス経済学Ⅱ」、大西広《おおにしひろし》さんが二〇二二年三月まで「マルクス経済学原論」を教えていました。立正大学では中村宗之《なかむらむねゆき》さんが「マルクス経済学」という講座を現在も担当しています。

また「マルクス経済学」と銘打ってこそいなくても、実際はマルクス経済学を教えているというケースもかなりありますね。

佐藤　立教大学では佐々木隆治《ささきりゅうじ》さんが「社会経済学」という講座でマルクス経済学を教えていますし、立命館大学でも松尾匡《まつおただす》さんが担当している「理論経済学」はやはりマルクス経済学の講座です。ただ、こうした人たちがマルクス経済学者を自任していたとしても、彼らが本当に左翼と言えるのかどうかはよくわかりません。

たとえば松尾匡さんが提唱している「反緊縮」やMMT（現代貨幣理論）のような理論にしても、基本的には金融政策であってマルクスの思想とは関係ありません。松尾さんは社会的弱者に再分配するためにMMTが必要だという立場ですが、しかし再分配を主張することが左翼の要件だというなら、「だったらファシストも左翼か?」という話になる。

池上　たしかにムッソリーニは、国家介入によって資本家の利潤を社会的弱者に再分配する一方で、戦争によって他国を侵略し、そこから収奪した富で自国民を豊かにしようとしましたからね。

佐藤　だから再分配云々は本質的な指標にはなりえませんし、私は、やはり「労働力の商品化」という資本主義が内包する絶対的矛盾にどう対峙するかで左翼か否かが問われるのだと思っています。ただ、今やその問題意識自体が世の中からなくなっています。左翼とリベラルはもともと対立的な概念なのに、今では誰もがよくわからないまま、一緒くたにしています。

池上　一九八三年。島田雅彦《しまだまさひこ》さんが『優しいサヨクのための嬉遊曲』（新潮社）で作家デビューしたのがこの頃。島田さん自身はこのタイトルについて、『左翼』という言葉には観念の重さがついていたので、面白半分に『サヨク』としてみた」とのちに書いていますが、この頃から左翼が、若干の侮蔑も込めてカタカナで「サヨク」と書かれるようになりました。そうしたなかで世間の目を憚《はばか》ってといいますか、自分自身も左翼の持つ重い概念に縛られるのを嫌った層が、リベラルを自称するようになったのかもしれませんね。

佐藤　共産党に関しては、昔は社民主要打撃論に基づいて社会民主主義者を攻撃していたのに、今では「しんぶん赤旗」や月刊誌「経済」に、マルクス主義との縁が薄い「リベラルな」言論人を好んで登場させるようになりました。彼らにとってはリベラルをなるべく利用することで、革命政党という自分たちの出自を隠したいのでしょうけどね。

池上　日本ではリベラルになんとなくポジティブなイメージがありますしね。しかしこれがアメリカだと、「リベラル」という言葉には共産主義者とほぼ同義語のようなニュアンスがあり、少なくとも共和党支持者は罵倒語として使っていますよね。日本語で「あいつはアカだ」と言うのと同じような意味で敵対者を「リベラル」と呼んでいる。

佐藤　アメリカの場合は長年の反共政策の影響でそもそもマルクス主義の影響がほとんどありませんからね。だからあちらの知識人はスターリニズムの影響もほとんど受けていなくて、むしろトロツキズムの影響を受けた人のほうが多いくらいです。
若い頃にトロツキズムの影響を受けた学者なら、レーガン政権やブッシュ（父）政権で主要閣僚の首席補佐官を務め、「ネオコンのゴッドファーザー」と呼ばれたアーヴィング・クリストルや、『歴史の終わり』のフランシス・フクヤマ。あるいは『イデオロギーの終焉』で有名な社会学者のダニエル・ベルなど、わりとたくさんいます。

池上 フランシス・フクヤマの『歴史の終わり』は、ソ連が消滅した一九九二年に西欧型民主主義と資本主義の勝利により共産主義は敗北し、イデオロギーの時代は終わったと断じた論文、ダニエル・ベルの『イデオロギーの終焉』は、先進資本主義各国で物質的に豊かな社会が到来したことで、マルクス主義が目指した階級闘争とそれを通じた社会変革はもはや無意味なものになったと論じた一九六〇年の著作ですね。

佐藤 でも、マルクス主義の影響の度合いという点ではもはや日本も似たようなものかもしれませんね。なにしろ選挙特番で池上さんに『共産党宣言』を読んだことはありますか？」と質問された共産党の候補者が、「これから読みます」と答えてしまうくらいですから。

池上 ああ、吉良《きら》よし子《こ》さんが初当選したときのインタビューですね（笑）。彼女は当時三一歳でしたので、『資本論』を読んでいないのは世代的に仕方ないかなと思って、せめて

「『共産党宣言』読んでいますか？」と聞いてみたのですが、読んでいないということでしたね。

メディアが「エリート化」した弊害

佐藤　あと一つは、メディアがやっぱり昔と変わりましたよね。メディアが発信する主張から左翼イデオロギー的な要素が消えたのはもちろんなのですが、それに限らずメディア産業に携わる人たちの全体的な雰囲気がずいぶん変わって、エリート・ビジネスパーソンと同質化しました。七〇年代まではいた野武士的な雰囲気の人は週刊誌を含めてほとんどいなくなって、すごくエスタブリッシュされた層になってしまった。

でも彼らの場合、皮膚感覚がやはりエリート層のそれなんですよ。だから世の中の何かに対する異議申し立てをしていても、その人自身の腹の底から湧いて出ている言葉じゃないからとってつけたような批判にしかならない。「とりあえずこういうふうに言っておけばいいだろう」という異議申し立てにとどまっているんです。だから今のメディアが発する言説は大半がポジショントークです。同じことは官僚や国会議員についてもいえますけどね。

池上　私の頃だと記者という仕事はそれこそ学生運動崩れがなるイメージでしたし、実際活動家崩れがたくさんいましたからね。だから世間的にはちょっとバカにされているというか、少なくともエリートがなるような仕事じゃありませんでした。それがバブルの頃に、急激にエリート化していきましたよね。女子アナブームが起きたり、主人公を新聞記者に設定した民放のトレンディドラマが放送されたり、朝日新聞の給料が高いと話題になって、あれよあれよという間に人気職種になっていった。

佐藤　池上さんの頃は、一般企業の総合職と新聞記者の両方を受験するなんてことは、ありえなかったんじゃないですか？

池上　ありえなかったですね。それがバブルの後くらいから、銀行と新聞社の両方を受けて、どっちに行こうかと悩むタイプの人が出てきた。

ＮＨＫの首都圏ニュースのキャスターを務めていた九〇年頃には、新人で入ってきたディレクターから「第一勧銀（現在のみずほ銀行）からも内定は貰っていて内定拘束を受けたんですけど、結局そちらを蹴ってＮＨＫに入りました」と挨拶されて、思わず「バカ野郎！　そんなヤツがこんなところに来るな！」と怒ってしまったことがあります。

それとちょうど同じ頃、読売新聞がそれまで守っていた就職協定を破って早期に青田買いをするようになったら、ものすごくいい学生たちを採用できたと読売の社員から自慢されたこともありましたね。「いい学生」というのは要するに経歴がキラキラしていて、見た目的にも美男という意味です。

昔は見るからに薄汚い、服装や髪型を見るだけでも社会の他の場所ではやっていけそうもない連中の集まりだったのが、みるみるうちに小綺麗でハンサムな、いかにもエリートふうな人たちの仕事になっていった。

佐藤　昔は「読売新聞？　押し売り新聞の間違いじゃないのか？」みたいな感じだったのに。

池上　そうそう。暴力団と見分けがつかないような連中がエリートになっていくんですよ。読売新聞の急激なエリート化というのは、びっくりするくらいでしたね。

前巻『激動』の「おわりに」で書きましたけど、それこそ日経新聞だって、「こんな資本主義万歳の新聞社で働いていいんだろうか」と後ろめたく感じるような人たちが入社して幹部になっていった。それが今では、「朝日や読売よりも日経こそがエリート」と自負して鼻高々で入社するような会社になっているわけですよね。

佐藤　一方で産経新聞は特定の思想に傾いた人たちの集まりという感じが強くなった。

池上　昔はそうじゃなくて、朝日を落ちた人が産経に入社するパターンがかなりあったんですけどね。だから朝日が中途採用で記者を募集すると産経の記者がたくさん受験して転職していったんですよ。

私が当時の文部省にいた時に一緒に記者クラブにいた産経新聞の記者もすごくバランスがとれた人で、彼とはいつも話をしていたんです。ところが、その彼が書いた記事を紙面で読んでみると「え?」と驚くような、ゴリゴリに保守的な記事ばかり。本人はこういう記事でないと掲載されないから仕方ないんだと言っていました。

佐藤　それが今では「部屋には教育勅語を貼っています」と面接で宣言するくらいの人のほうが喜ばれそうな雰囲気ですからね。

池上　そんな感じになっちゃったな。

組織化されない運動の虚しさ

池上　そういった社会の空気は「安倍政権」の七年八ヵ月で強まったとも言われますが、安倍政権といえば、この政権は本対談で私たちが何度も言及してきた「安保闘争」と「学生運動」を復活させたことも記憶に新しいですね。安倍政権は二〇一五年五月に自衛隊の集団的自衛権行使を可能にする安全保障関連法案を国会に提出し、それに反対する若者たちが首相官邸前に集まり抗議行動を繰り広げました。なかでも学生グループ「SEALDs(シールズ)」(Students Emergency Action for Liberal Democracy-s＝自由と民主主義のための学生緊急行動)の抗議運動はメディアに取り上げられ大いに話題になりました。

佐藤　たしかにずいぶん話題にはなりましたね。しかし私はSEALDsに関しては全く評価していませんし、彼らの運動は、結局のところ組織化されていない運動などほとんど意味がないことを示して終わったと思っています。

またあの運動に関わった若者たちがどの程度自覚していたのかは知りませんが、私は彼らの運動のあり方は非常に新自由主義的だったとさえ思っています。

参加者の大半は無責任に集まっては散っていくだけで、予定どおり一年で活動休止したあとはみんなバラバラ。一方でリーダーの学生たちはメディアで名前を売ったことで彼らが本来行けたはずのところよりワンランク上の大学院に入る道が開け、アカデミズムにおけるキャリアアップを実現できた。彼ら以外の、周辺にいた学生たちは民青が刈り込んだ。これはつまり、今日は株式、明日はＦＸ（外国為替証拠金取引）と市場の中で手当たり次第に投資して儲けるのと同じことです。

私があの運動を見ていてとりわけ嫌だったのは、たくさんの大人たちが子どもたちに阿《おもね》ったことですよ。そういった運動における嫌らしさや狡《ずる》さのようなものについて、大人たちは嚙み砕いて教えなければいけなかったのにしなかった。だから私はああいう運動に対しては冷たいんです。

結局、思想がないんですよ。**左とか右とかは関係なくてすべて新自由主義なんです。**誰もが眼の前で繰り広げられている椅子取りゲームに勝つことしか興味がなくて、その場その場をどう振る舞えば自分にとって得になるかと考えている。そうした新自由主義的な振る舞いが学生運動にまで浸透しているということだと思います。

「ヴィーガニズム」「アニマルライツ」と対話の重要性

池上　なるほど。ところでこの「左翼史」対談の大きな目的の一つに、過去の左翼の失敗から何らかの教訓を引き出すことがありましたが、私はそれが議論や論争の仕方についてい今一度考えることではないかと思っています。つまり新左翼的な人々がいつの間にか陥っていた、**対立する陣営に対して自分たちが優位に立つ、あるいは自分たちの優位性を第三者に見せつけるためにする論争を排し、代わりに実りある発展性のある議論に結び付けるにはどうしたらいいのか**という問題です。

佐藤　そのとおりですね。特にこれからは、アニマルライツの問題や環境問題に関しての議論が先鋭化してくる可能性が高いですから。

たとえばドイツでは最近、養鶏場で生まれるオスのひよこの殺処分が禁止になりました。私たちが普段スーパーなどで買っている卵は、ひよこが孵《かえ》らない「無精卵」といい、メスの鶏さえいれば産めます。そのため無精卵を生産する養鶏場ではメスの鶏しか必要としていないのですが、現状では鶏にメスの卵だけを産み分けさせる技術はありません。だから養鶏場では孵化した卵がオスのひよこであった場合、すぐに窒息させるなどして殺処分され、一部は動物園などで他の動物の餌にされているんです。これは日本に限らず、世界のほとんどの国で同じです。

それがドイツでは二〇二二年一月一日に改正動物福祉法が施行され、この殺処分が禁止になりました。

私などはひよこが殺されるのを見るのも想像するのも耐えられないので、個人的にこの法改正には賛成です。ただしこの措置は鶏卵をつくる養鶏場、あるいは消費者の論理とは明らかに対立します。

池上　養鶏場に食用にならないオスのひよこを育てる義務を課す、あるいは殺処分するのでもひよこにとって苦痛がないやり方に変えるように義務づけるとすれば、卵の値段も鶏肉の値段もグンと上がるでしょうからね。

佐藤　あるいは現在の日本ではブタを去勢する時には、基本的に麻酔をかけませんが、これは先進国では数少ない例です。我々は男性だから、去勢を麻酔なしで行った場合にどれほど苦痛かは想像できますよね。

そう考えると、今後はこうした問題についても社会的なコンセンサスを得ていかなければばいけないでしょうし、動物福祉の問題というのは日本でも非常に前景化・先鋭化してくるだろうと思います。

ただその時にしっかりとした対話ができないと、ヨーロッパの一部ですでに生じているような食肉店に対する襲撃、あるいは実験動物を解放するために研究所を破壊するなどの事態も起こりかねません。

池上　たしかに動物愛護運動のなかには、いくらなんでもちょっとやり過ぎなんじゃないかと感じるような運動が、特にヨーロッパでは見られますよね。

佐藤　だから私は、実はヴィーガニズムという思想・運動について部分的には共感できると感じつつ、一方ではこの思想が引き起こす社会との軋轢が、かつての新左翼に近いものになる可能性も十分あると思っているんです。これは環境問題でもそうですよね。

いずれにせよ、どのような運動をしていくのでも対話の力というのは本当に重要で、対立的な運動であれ、何らかのコンセンサスを見つけることを目指すのであれ、我々はそれを信じていかなければいけません。

ポストモダンが与えた影響

佐藤　ところで先ほど第三章で、一九八〇年代前半に浅田彰さんの『構造と力』を介して、日本に相対主義的なポストモダンの嵐が入ってきたことについて述べました。『構造と力』が投げかけたメッセージは、東西冷戦体制という状況下にあって社会主義体制は良きものだと留保なく思いこんでいたインテリの世界に対して、「本当にそうだと言えるのか？」という問題提起をすると同時に、革命のような「大きな物語」に包摂されるのではなく、小さな差異の重要性を強調しました。

しかしソ連が崩壊した後、「小さな差異」は金儲けのための論理になってしまいましたね。

池上　そうですね。まさにあるものと別のあるものとの間にある、小さな差異を消費者に強く意識させ、さらにその差異から価値を増殖させていくことがマーケティングの手法として定着しました。

佐藤　それを学ぶことが自分たちのビジネスチャンスにつながるわけですから、電通や博報堂などの広告代理店の人たちが当時ポストモダン関連の思想書をものすごく熱心に読んでいたのもある意味では当然でした。そして、その結果として出現したのが現在の新自由主義的な砂漠です。

そして『構造と力』の刊行から四〇年経ってもうひとつはっきりしたのは、やはり人は「大きな物語」を必要とするということです。しかもその物語は、大きいものでありさえすれば、かなり乱暴な出来でも構わないということもわかった。

たとえば小林《こばやし》よしのりさんの『新・ゴーマニズム宣言SPECIAL 戦争論』（幻冬舎・一九九八年）なんて、あのマンガが発表された当時の中高生や大学生、あるいは二〇代の社会人にとっては非常に好まれた「大きな物語」であって、若者が右傾化するうえで絶大な役割を果たしました。

ところが二〇〇〇年代の末からは、今度は小林さんのマンガで育った世代が在特会のような集団を組織し、「在日特権」などという粗雑きわまりない別の「大きな物語」を紡いで在日コリアンなどマイノリティへの攻撃を始めるようになった。今では小林さんはかつての読者に乗り越えられ、彼もまた攻撃対象の一人になってさえいます。

だから「大きな物語」はその出来に関係なく、依然として人を動かす力を持ち続けていると思うんですよ。キリスト教がフラフラしながらも未だに生き残っているのだって、やはりこの教えには「大きな物語」があるからです。

いずれこの世の終わりが来て、その時にはイエスが再臨し最後の審判と救済が行われる。この「大きな物語」が維持されている以上はそう簡単には滅びません。

池上　そういう意味では、**現在の左翼の元気のなさというか影響力の弱さは、もはや彼らが「大きな物語」を語り得なくなってきていることにあるかもしれませんね。**「いずれ共産主義の理想社会が到来する」という、かつて語られていた「大きな物語」を語り続けるのが難しくなっている。

佐藤　そうですね。しかし「平和」という別の大きな物語はありえるのではないかと思います。たとえばレーニンらボリシェビキがロシア革命に成功したのは、ロシア民族のナショナリズムを鼓舞したからではなく、むしろ第一次世界大戦の戦禍で疲弊しきっていたロシア国民たちにとって平和をもたらしてくれる政権だったからです。

また戦後、東欧諸国で共産党政権が広がっていった理由にしても、それらの国の民衆たちが、この政権ができることで戦争に巻き込まれなくて済むと歓迎したからです。

池上　ロシアでは第一次世界大戦への参戦で国内が食料不足に見舞われていた一九一七年三月（ユリウス暦二月）、困窮した民衆によるデモを皇帝が鎮圧したことに首都ペトログラード（現在のサンクトペテルブルグ）の労働者たちが怒りゼネストで蜂起。これに様々な勢力が同調する市民革命で皇帝を退位に追い込み、大学教授や弁護士、貴族などによる政党「立憲民主党」を中心とした臨時政府が発足しました（二月革命）。

しかし臨時政府は戦争を継続する方針をとったことで民衆の不満は増大。これを受けてレーニンは亡命先のスイスから帰国して戦争中止を訴え、ボリシェビキを指導し、一一月（ユリウス暦一〇月）の武装蜂起で臨時政府を打倒しました。これが社会主義革命である「十月革命」です。

ソビエト政権樹立後のボリシェビキは地主の土地を没収して農民にその利用権を与えたほか、銀行や主要産業を国有化し社会主義政権の基礎づくりを開始。そしてそれと並行して、一九一八年三月三日にベロルシア（現在のベラルーシ）のブレスト・リトフスクで中央同盟国、つまりドイツ帝国、オーストリア・ハンガリー帝国、ブルガリア王国、オスマン帝国（現在のトルコ）と単独講和条約を結び、第一次大戦から離脱しました。たしかに、ロシア革命のこの一連の経過を思いおこせば、ボリシェビキが掲げたイデオロギーが民衆に支持されたわけでは必ずしもありません。

佐藤　そうです。もっとも、ボリシェビキがもたらした平和には代償がありました。ロシアとウクライナの国境線です。一九一八年にブレスト・リトフスク条約が結ばれます。この名前で呼ばれる条約は二つあります。最初のものは、二月にドイツ、オーストリアなどの中央同盟国とウクライナ人民共和国（反ボリシェビキ政権）と間で結ばれた講和条約で、反ボリシェヴィキ共同戦線について合意しました。このウクライナ人民共和国はドイツの強い後押しでできた国家です。ウクライナ共和国の東部の国境線は、伝統的にウクライナ人が住んでいた地域よりもかなり東に食い込んでいます。

しかし、この条約ができた直後にウクライナでもボリシェビキが権力を掌握します。そして三月に中央同盟国は、ロシア共和国並びにウクライナ人民共和国（ボリシェヴィキ政権）

と講和条約を結び、ロシアは第一次世界大戦から離脱します。このときにロシアとウクライナの国境線は三月の条約のまま引き継がれました。ロシアもウクライナも民族ではなく階級を基盤とするボリシェビキ政権なので、国境線はいわば国内境界線のようなものと受け止められていました。

そして一九九一年にソ連が崩壊した時も、ロシア、ウクライナの両国は国境画定交渉をしっかり行わないまま、ウクライナの東側には一一〇〇万人ものロシア人がなし崩し的に残ることになりました。この地域に住む人たちの多くは、現在も「ロシア人」としてのアイデンティティを持っています。

つまり現在のロシアとウクライナの戦争は、このときのツケが三〇年後に来ていると見ることができるわけです。

「ウクライナ侵攻以後」の左翼とは

佐藤　二〇二二年二月二四日にロシアがウクライナへ侵攻することで始まった戦争に関しては、私はこれが日本の戦後左翼の終焉を示すものだと考えています。

日本共産党はウクライナ戦争勃発後の二二年四月、志位《しい》和夫《かずお》委員長が「急迫不正の侵略がされた場合、自衛隊を含めあらゆる手段を用いて、国民の命と日本の主権を守る」（四月一〇日の東京都内での演説）など、自衛隊の活用を正当化する発言を繰り返しました。自衛隊は依然として違憲ではあるけれど、日本に対する侵略があった場合は自衛隊による防衛戦争は支持するというわけです。

冷戦後も生き残った事実上唯一の左翼政党である日本共産党が、ウクライナ戦争に対して「あらゆる戦争に反対する」という声明を出すことができず、逆にこのような祖国防衛戦争の論理を打ち出し始めたということは、日本の左翼がもはや戦争の論理に完全に搦め捕られたということを意味しています。これは要するに第二インターナショナルの考え方ですよ。

池上　第二インターナショナルについては、第一巻『真説』でも言及したので覚えている人もいるかもしれませんね。マルクスが結成した社会主義者の政治結社「国際労働者協会」（第一インターナショナル）の後継組織として、一八八九年に結成された「国際社会主義者会議」の別名です。略称が「インターナショナル」なのは共産主義の理念にもとづき世界各地の労働者が国籍・国境に縛られることなく革命のために団結するという理念を掲げていたからですが、第一次世界大戦が長引くにつれて各国の支部がナショナリズムに傾いていき、結局はそれぞれの国の戦争を支持するようになり瓦解してしまいました。ここから分派したレーニンが大戦後に組織したのが「共産主義インターナショナル」こと第三インターナショナル、通称「コミンテルン」です。

佐藤さんは、日本共産党がウクライナ戦争勃発後に祖国防衛戦争を打ち出すようになったのは、第二インターナショナルが参加各国のナショナリズムに呑み込まれたのと同じであると見ているわけですね。

佐藤 そうです。マルクス主義に基づく共産主義の思想がナショナリズムに敗れていくプロセスは新左翼の終焉後、あるいは共産党が六一年綱領を採択してからずっと続いていたことではありました。しかしその流れに抗してきた最後の一線が、反戦という二文字であり、それが左翼を左翼として強く縛ってもきました。

共産党だって、戦後間もない時期は徳田球一《とくだきゅういち》や野坂参三《のさかさんぞう》らが「自衛戦争は許容される」「戦争にもいい戦争と悪い戦争がある」という考え方を採用しており、それが五〇年代以降も彼らの本質ではあったのでしょうが、とはいえ現実の力学の中では社会党の絶対平和主義に引きずられ、また二一世紀に入ると憲法九条堅持を叫ぶ平和の党と装うようになりました。

ところがそれも今回のウクライナ戦争の流れの中で防衛戦争は認められるのだという方向に舵を切り、ナショナリズムに吸収されていった。

ここで日本共産党が、「我々はいかなる戦争であろうと反対する。今回の戦争はアメリカ帝国主義の尖兵の役割を果たしているウクライナと、もう一つの帝国主義であるロシアが衝突しているだけであって、両国の民衆、プロレタリアートとは何ら関係ない」と堂々と言えていれば左翼政党として生き残るチャンスはあったでしょう。しかしそうしなかったことで彼らはもう反戦政党ではなくなった。そしてこれは、共産党が狙っていた、「共産党の社会党化」という路線が不可能になったことも意味しています。

池上　左翼の終焉ですね。第二インターナショナルが第一次世界大戦中にナショナリズムの論理に埋没したのと同様、歴史の反復が起きているとも言えますか？

佐藤　そうですね。一四世紀のイスラーム哲学者イブン・ハルドゥーンは、「オアシスにおける遊牧民と定住民の権力交代はおおよそ一二〇年周期で起きる」という考え方を提起しました。あるいはそれと同じ法則が左翼にも働いているのかもしれません。

ただ、そういう状況であればこそ、物事の本質に立ち返って思考することが重要だと私は思います。たとえば、これはマルクス主義ではなく神学の世界の話になりますが、スイスの神学者であるカール・バルトが、二〇世紀の新しい神学の流れをつくることになる「弁証法神学」を打ち立てたのも、元々はバルトが第一次世界大戦開戦時の神学界に対して抱いた絶望から始まりました。

バルトが神学生として学んでいた時に影響を受けたのが、プロテスタント神学者として当時第一級と目されていたアドルフ・フォン・ハルナックという学者です。しかしハルナックは開戦すると、「これはドイツ文化を守るための戦いである」として母国の戦争を支持し、戦争を肯定する「知識人宣言」という宣言文も発表しました。

このことにバルトは大変な衝撃を受けました。あれほど尊敬していたハルナックのような人まで戦争に賛成してしまうのであれば神学などもう学ぶ意味はないと、それまで信じていた価値がすべて崩壊してしまったかのように感じたのです。

しかし彼はそこから立ち直りました。自分がなすべきことは今こそ聖書に立ち返ることだと思い直し、新約聖書「ローマの信徒への手紙」をギリシャ語から訳しながら研究し、その内容を『ローマ書』という著作にまとめたのです。そしてこの著作が、神学の画期的な転換点にもなったのです。

ですから私たちがいまこの状況においてすべきなのも、おそらくまずは『資本論』に立ち返り、戦争と資本主義の関係について、マルクスが解き明かした原理に戻って考え直すこと。そうすることで、ナショナリズムなるものが資本家ではない私たちプロレタリアートにとっていかなる意味を持つのか問い直すことだと思うんです。

そしてその知的営為は、いまウクライナやロシアについて大きな声で語ろうとしている人からはおそらく出てこないでしょう。むしろいまは静かに沈静している人の中から出てくるものだと思います。
だから私は斎藤幸平《さいとうこうへい》さんあたりがそういう問題に取り組んでいることを非常に期待しているのですけど、一方で非常に気がかりなのは、それこそ斎藤さんが、二一世紀の左翼が対決すべき最大のテーマとして設定していた環境問題が、目下ヨーロッパにおいて急速に後退してしまっていることです。

池上　そうなんですよね。結局ロシアに対する経済制裁で天然ガスや石油をロシアから買わないという話になり、その分を補う手段として石炭需要が急拡大している状況もある。戦争が始まった途端に、ヨーロッパの環境問題への取り組みが何十年分も後退してしまった。

佐藤　だから裏返してみると、各国の環境問題への取り組みがどの程度本物だったのかという話にもなる。

池上　でも、だから逆に絶好のチャンスだという考え方もあるんですよ。これをきっかけに、むしろ一挙に再生可能エネルギーにするのだという……。問題は為政者たちがそう考えられるかどうかなんですけどね。

佐藤　あるいは一挙に原発に行くか。

池上　フランスがそうしようとしていますよね。

佐藤　あるいは核融合技術ですよね。核融合だったら核兵器開発にはつながらないし、海水さえあれば核融合はできる。ほぼ無限に資源はあるわけだから。

池上　いずれにしても、侵略戦争であるか防衛戦争であるかに関係なく、すべての戦争は民衆にとって等しく悪なのであり、反対すべきものと考えられるかどうか。

　ただ今の状況でこういうことを言うと、「悪いのは先に手を出したロシアに決まっている、抵抗しているだけのウクライナの戦争に反対するのは、結局のところロシアに味方しているのと一緒」という話にすり替えられてしまう状況があります。しかしそのような状況があるにしても、「あらゆる戦争に反対する」と言い続ける覚悟があるかどうかが左翼を自任する以上は重要だということですね。

佐藤　そうです。だから左翼にとって価値判断の基準は「国家」でも「民族」でも「国民」でもない。基準は常に「階級」であり、戦争であろうと環境問題であろうと、「労働者階級にとってそれは何を意味するのか」という問題設定からすべては始まります。しかしそういう問題設定が、今の日本社会からは失われてしまっている。

　だからその意味においては、**左翼思想を成り立たせる土台自体が崩壊している**。そのことが今回のウクライナ戦争で奇《く》しくも可視化されたのだと思います。

おわりに

池上彰氏との共著『真説　日本左翼史』『激動　日本左翼史』『漂流　日本左翼史』が刊行されたことで、太平洋戦争後の日本左翼の歴史について検討するわれわれの共同作業は終了した。日本の左翼を日本共産党とそこから分裂した勢力と見る従来の見方に対して、私たちは別の切り口を提示した。わが国には日本共産党以外に戦前の合法マルクス主義者の流れ（労農派）を継承する日本社会党が存在した。この社会党のアンブレラの下で、新左翼が台頭した。共産党vs.社会党・新左翼という分節化に基づいて日本左翼史を論じた本は他にないと思っている。

『漂流　日本左翼史』では、一九七二年以降を扱っているが、新左翼が内ゲバとテロリズムに傾斜し、社会的影響力を失うなかで、左翼の主戦場は労働運動になったという見方を私たちはとった。そこで社会党左派を支えた社会主義協会が台頭するが、そのマルクス・レーニン主義的な前衛主義に対する総評、社会党内の反発が強まり、一九七〇年代後半に社会主義協会の活動に規制が加えられる。

さらに政府・自民党の国鉄分割民営化によって社会主義協会の影響が著しく低下した。国際情勢では、ソ連や東ドイツを理想的な社会主義体制と見なした社会主義協会の思想的限界が一九八九年一一月のベルリンの壁崩壊、一九九一年一二月のソ連崩壊によって露呈した。非ソ連型マルクス主義として出発した労農派が、ソ連の崩壊とともに政治的にも思想的にも完全に影響力を喪失したというのも歴史の弁証法なのだろう。同時に社会党（社会民主党）からマルクス主義の要素が消え去った。結果として、現実に影響をあたえる左翼は日本共産党だけになってしまった。

その共産党は、議会を通じた平和革命と平和主義というかつての社会党の路線を密輸入することで生き残りを図っているが、前衛思想と民主集中制の頸木《くびき》から逃れることができずに行き詰まっているというのが本書の分析だ。

『漂流 日本左翼史』が二〇二二年七月に刊行されることには特別の意味がある。この年二月二四日のロシアによるウクライナ侵攻で、世界の構造が変化しつつあるからだ。ロシアの行為は、ウクライナの主権と領土の一体性を毀損する既存の国際法秩序に反する行為で厳しく弾劾されなくてはならない。当事国であるウクライナとロシアはもとより西側諸国（米国、EU加盟諸国、日本、カナダ、オーストラリア、ニュージーランド、シンガポール、台湾など）では多くの人々が無意識のうちに自国政府の立場と自らを一致させている（中東［イスラエルを含む］、アフリカ、中南米、中国、東南アジア、西南アジア、中央アジアの諸国では、政府も国民も欧米の立場にもロシアの立場にも同調していない）。そのなかで、プロレタリアート（労働者階級）は祖国を持たないので、階級の立場からあらゆる帝国主義戦争に反対するというかつての左翼の声はまったくと言っていいほど聞かれなくなった。日本共産党も、自衛隊は憲法違反であるが、日本が侵略された場合には、自衛隊を活用するという「祖国防衛戦争論」を前面に掲げるようになっている。

ウクライナ戦争の進行とともに左翼的価値がもう一度、見直される可能性があると私は考えている。この戦争は長期化する可能性がある。しかし、いつまでも続く戦争はない。この戦争もいつかは終わる。日本人の大多数は、ウクライナの果敢な抵抗によって、ロシアの侵略者をクリミアを含むウクライナ全土から放逐することで、この戦争が終結することを期待している。しかし、そのような結果になるという保証はない。戦線が膠着し、ウクライナの東部、南部では親ロシア派の政府が成立し（段階的にロシアはこの地域を併合する）、西部にはウクライナ民族至上主義的な政権が成立し、中部はバッファー（緩衝地帯）の機能を果たす中立国になるという可能性も排除されない。いずれにせよウクライナ戦争が終結してもロシア並びにその影響下にある諸国と西側諸国の間では、常に世界戦争の火種を抱えることになる。その過程で、日本左翼の重要な価値観であった絶対平和主義が見直される可能性がある。

さらにウクライナ戦争で、燃料、食料価格が高騰し、インフレが起きている。インフレは社会的に弱い層の生活を直撃する。今後、格差問題だけでなく貧困問題も深刻になる。その過程で平等を強調する左翼的価値観も見直されることになると思う。

未来を切り開くためには、過去から学ばなくてはならない。日本左翼の歴史から、善きものを活かし、悪しきものを退けることの重要性が今後高まると私は考える。

キリスト教には左翼的な価値観も包摂されている。

〈そのうちの一人、律法の専門家が、イエスを試そうとして尋ねた。「先生、律法の中で、どの戒めが最も重要でしょうか。」イエスは言われた。「『心を尽くし、魂を尽くし、思いを尽くして、あなたの神である主を愛しなさい。』これが最も重要な第一の戒めである。第二も、これと同じように重要である。『隣人を自分のように愛しなさい。』この二つの戒めに、律法全体と預言者とが、かかっているのだ。」〉（「マタイによる福音書」22章35〜40節）

イエスが述べた「隣人を自分のように愛しなさい。」という価値観を左翼の人々は、神なき状況で実践しようと命がけで努力したのだと思う。しかし、神（あるいは仏法）不在のもとで、人間が理想的社会を構築できると考えること自体が罪（増上慢）なのだ。社会的正義を実現するためには、人間の理性には限界があることを自覚し、超越的な価値観を持つ必要があると私は考えている。日本左翼史というネガ（陰画）を示すことで、私は超越的価値というポジ（陽画）を示したかったのである。

多忙な中、長時間、共同作業に付き合っていただいた池上彰氏に感謝申し上げます。本書を上梓するにあたっては、講談社現代新書編集部の青木肇編集長、小林雅宏氏、フリーランスの編集者兼ライターの古川琢也氏にたいへんお世話になりました。どうもありがとうございます。

二〇二二年七月、日本共産党創立一〇〇年の記念月に、曙橋（東京都新宿区）にて

佐藤　優

写真提供：共同通信社（P13、P23、P59）
朝日新聞社（P46、P53、P95、P127、P159）
講談社資料センター（P85、P115、P149）

講談社現代新書 2667

漂流《ひょうりゅう》 日本《にほん》左翼史《さよくし》 理想《りそう》なき左派《さは》の混迷《こんめい》 1972―2022

二〇二二年七月二〇日第一刷発行 二〇二二年八月五日第二刷発行

著者 池上《いけがみ》 彰《あきら》 佐藤《さとう》 優《まさる》

発行者 鈴木章一
発行所 株式会社講談社
東京都文京区音羽二丁目一二―二一 郵便番号一一二―八〇〇一
電話 〇三―五三九五―三五二一 編集（現代新書）
〇三―五三九五―四四一五 販売
〇三―五三九五―三六一五 業務
装幀者 中島英樹／中島デザイン
印刷所 株式会社ＫＰＳプロダクツ
製本所 株式会社国宝社
定価はカバーに表示してあります Printed in Japan

N.D.C. 210 188p 18cm
ISBN978-4-06-529012-5

「講談社現代新書」の刊行にあたって

教養は万人が身をもって養い創造すべきものであって、一部の専門家の占有物として、ただ一方的に人々の手もとに配布され伝達されうるものではありません。

しかし、不幸にしてわが国の現状では、教養の重要な養いとなるべき書物は、ほとんど講壇からの天下りや単なる解説に終始し、知識技術を真剣に希求する青少年・学生・一般民衆の根本的な疑問や興味は、けっして十分に答えられ、解きほぐされ、手引きされることがありません。万人の内奥から発した真正の教養への芽ばえが、こうして放置され、むなしく滅びさる運命にゆだねられているのです。

このことは、中・高校だけで教育をおわる人々の成長をはばんでいるだけでなく、大学に進んだり、インテリと目されたりする人々の精神力の健康さえもむしばみ、わが国の文化の実質をまことに脆弱なものにしています。単なる博識以上の根強い思索力・判断力、および確かな技術にささえられた教養を必要とする日本の将来にとって、これは真剣に憂慮されなければならない事態であるといわなければなりません。

わたしたちの「講談社現代新書」は、この事態の克服を意図して計画されたものです。これによってわたしたちは、講壇からの天下りでもなく、単なる解説書でもない、もっぱら万人の魂に生ずる初発的かつ根本的な問題をとらえ、掘り起こし、手引きし、しかも最新の知識への展望を万人に確立させる書物を、新しく世の中に送り出したいと念願しています。

わたしたちは、創業以来民衆を対象とする啓蒙の仕事に専心してきた講談社にとって、これこそもっともふさわしい課題であり、伝統ある出版社としての義務でもあると考えているのです。

一九六四年四月　野間省一

政治・社会

1145 冤罪はこうして作られる　小田中聰樹
1201 情報操作のトリック　川上和久
1488 日本の公安警察——青木理
1540 戦争を記憶する——藤原帰一
1742 教育と国家——高橋哲哉
1965 創価学会の研究——玉野和志
1977 天皇陛下の全仕事——山本雅人
1978 思考停止社会——郷原信郎
1985 日米同盟の正体——孫崎享
2068 財政危機と社会保障——鈴木亘
2073 リスクに背を向ける日本人　山岸俊男　メアリー・C・ブリントン
2079 認知症と長寿社会——信濃毎日新聞取材班
2115 国力とは何か——中野剛志
2117 未曾有と想定外——畑村洋太郎
2123 中国社会の見えない掟　加藤隆則
2130 ケインズとハイエク　松原隆一郎
2135 弱者の居場所がない社会　阿部彩
2138 超高齢社会の基礎知識　鈴木隆雄
2152 鉄道と国家——小牟田哲彦
2183 死刑と正義——森炎
2186 民法はおもしろい——池田真朗
2197 「反日」中国の真実——加藤隆則
2203 ビッグデータの覇者たち——海部美知
2246 愛と暴力の戦後とその後——赤坂真理
2247 国際メディア情報戦——高木徹
2294 安倍官邸の正体——田﨑史郎
2295 福島第一原発事故 7つの謎　NHKスペシャル『メルトダウン』取材班
2297 ニッポンの裁判——瀬木比呂志
2352 警察捜査の正体——原田宏二
2358 貧困世代——藤田孝典
2363 下り坂をそろそろと下る　平田オリザ
2387 憲法という希望——木村草太
2397 老いる家 崩れる街　野澤千絵
2413 アメリカ帝国の終焉　進藤榮一
2431 未来の年表——河合雅司
2436 縮小ニッポンの衝撃　NHKスペシャル取材班
2439 知ってはいけない——矢部宏治
2455 保守の真髄——西部邁

日本史Ⅱ

2319 昭和陸軍全史3——川田稔
2328 タモリと戦後ニッポン 近藤正高
2330 弥生時代の歴史—藤尾慎一郎
2343 天下統一——黒嶋敏
2351 戦国の陣形——乃至政彦
2376 昭和の戦争——井上寿一
2380 刀の日本史——加来耕三
2382 田中角栄——服部龍二
2394 井伊直虎——夏目琢史
2398 日米開戦と情報戦——森山優
2401 愛と狂瀾のメリークリスマス 堀井憲一郎
2402 ジャニーズと日本—矢野利裕
2405 織田信長の城——加藤理文
2414 海の向こうから見た倭国 高田貫太
2417 ビートたけしと北野武 近藤正高
2428 戦争の日本古代史—倉本一宏
2438 飛行機の戦争 1914-1945——一ノ瀬俊也
2449 天皇家のお葬式——大角修
2451 不死身の特攻兵——鴻上尚史
2453 戦争調査会——井上寿一
2454 縄文の思想——瀬川拓郎
2460 自民党秘史——岡崎守恭
2462 王政復古——久住真也